La imagen de España

Francisco Ayala

La imagen de España

Continuidad y cambio en la sociedad española
(Papeles para un curso)

Alianza Editorial

Calle Milán, 38, 28043 Madrid; teléf. 200 00 45
ISBN: 84-206-9540-8
Depósito legal: M. 35.236-1986
Compuesto en Fernández Ciudad, S. L.
Impreso en Closas-Orcoyen, S. L. Polígono Igarsa
Paracuellos de Jarama (Madrid)
Printed in Spain

INDICE

Presentación del curso 9
- El cambio 12
- Comienzan las clases 16

La excentricidad hispana 19

Lo hispánico, visto en el más sumario, superficial y convencional esquema 27

El mañana sin mañana 41

El carácter de los españoles 55
- Digresión sobre el guardar las formas ... 57

La España de la contrarreforma 71
- Un proyecto vital anacrónico (entender a España) 76

El punto de honor castellano 85
Noticias de antaño 127
La mujer española, entonces y ahora 163
Desnudistas en el manzanares 171
La guerra civil: una retrospección 179
La joven democracia, puesta a prueba ... 187
  El referéndum 191
  «La ética de las responsabilidades» ... 192
  Constitución y Fuerzas Armadas 202
  El referéndum, consumado 208
El nuevo talante reaccionario 211
Clausura (quizá prematura) del curso 219

PRESENTACION DEL CURSO

Durante el año de 1985 recibí una propuesta para inaugurar en la New York University la cátedra fundada allí bajo la advocación del rey Juan Carlos I de España, a quien esa universidad había concedido previamente un doctorado *honoris causa*. Mi primera reacción fue negativa; no me sentía demasiado inclinado a alejarme por varios meses de España para volver, aun de manera tan transitoria, al desempeño de una cátedra, pues, entre otras consideraciones, es ya mucho el tiempo que llevo retirado de las tareas docentes. En cuanto a esa universidad de Nueva York, fui profesor en ella hacía ya nada menos que un cuarto de siglo; pero como enseguida hube de comprobar, todavía continúan enseñando en sus aulas varios de mis antiguos colegas, con quienes sin duda me resultaría gustoso el reencuentro. Por esto, y por otras consideraciones de no menos personal carácter, y después de haberlo pensado mucho, vencí aquella inicial resistencia íntima y me decidí por último a aceptar la invitación.

Como tema de estudio, y bajo el enunciado de *Continuidad y cambio en la sociedad española,* sugerí a las autoridades académicas el posible interés de un examen comparativo, emprendido en colaboración con mis alumnos, de la realidad actual de nuestro país frente a la imagen vulgar y corriente que de él se tenía y todavía se tiene, tanto fuera como dentro de España misma. Es esa —nadie lo ignora— una imagen inicialmente formada durante el romanticismo europeo a base sobre todo del «descubrimiento» y revalorización de nuestro teatro del siglo XVII, vocero e instrumento de propaganda que fue en su día de los ideales contrarreformistas sostenidos por la monarquía de Habsburgo; esos mismos ideales que, ya entrado nuestro siglo y muy a deshora, se empeñó absurdamente el régimen de Franco en restaurar, y de cuya imagen procuraría a la postre sacar partido para su explotación turística bajo la seductora postulación, o promesa, de que *Spain is different.*

Mediante la compulsación de documentos diversos: testimonios de todas clases, textos legales o judiciales, correspondencias privadas, anecdotarios, y también, desde luego, obras literarias de varia índole, procuraríamos, pues, establecer por lo pronto en sus verdaderos términos la realidad social que prestó base a aquella imagen convencional de España y de lo español, para tratar de comprobar luego, poniendo a contribución los datos de la actualidad, qué es lo que puede haber sobrevivido de la época barroca en las instituciones y costumbres presentes, qué es lo que ha cambiado de entonces a acá, y cuáles son, en suma, los valores vigentes hoy en el seno de la sociedad española, por contraste con el consabido estereotipo. Tendríamos así ante la vista, en primer término, ese estereotipo constituido a partir del Romanticismo y cada día abaratado más hasta hoy; en segundo lugar, el cuadro que nos ofreciera nuestro ensayo de comprensión realista de la España barroca; y por último, una caracterización de la sociedad en que ahora estamos viviendo.

Tal era lo que, de antemano y en el plano de las proyecciones ideales, me proponía llevar a cabo durante las semanas asignadas al desarrollo del curso.

Por de pronto, anuncié este propósito en un artículo de prensa, donde —muy de acuerdo con el plan de referir nuestro pasado histórico a la actualidad presente— ligaba mi proyecto de curso académico al debate público del día, intentando insertar así lo efímero de la política cotidiana en el marco de lo permanente.

El tema polémico del momento era el cambio prometido por el Partido Socialista en su campaña electoral, y cumplido o incumplido —esto se discutía— desde su instalación en el gobierno. Mi artículo planteaba la cuestión en los términos siguientes:

El cambio

A poco de establecerse la democracia en España, quienes mucho habían suspirado por su advenimiento empezaron a manifestarse desencantados; a poco de instalado en el poder el Partido Socialista que había prometido un cambio a sus electores, muchos de quienes lo anhelaban se están declarando defraudados. Comprueban con desolación que, como dice la conocida frase francesa, *Plus ça change*..., cuanto más cambia una cosa, más sigue siendo la misma.

Sospecho que tales desengaños son el resultado de haber confundido las vagas fantasías con la realidad efectiva. El cambio no era, sin duda, para algunos un cambio, sino una especie de noción mágica, «El Cambio», en virtud de la cual se instauraría sobre esta tierra nuestra una utopía, de rasgos, por lo demás, bastante indefinidos. Y claro está que a la índole de las expectativas utópicas pertenece el quedar siempre fallidas. Necesariamente tienen que serlo, pues la realidad existe en un lugar concreto, y la utopía, como su nombre indica, consiste en una construcción imaginaria, es una ciudad ideal, que en ocasiones puede llamarse también Babia o, como propuso Larra, Las Batuecas.

¿Querrá esto decir acaso que no ha habido un cambio en España, que no está habiendo cambios cada día? En el de hoy se intenta el balance de lo ocurrido durante el último decenio, y ciego sería quien no los viese. Toda sociedad humana, como histórica que es por naturaleza, se encuentra sometida a cambio incesante; cambia de continuo, y a mayor velocidad conforme se acelera el progreso tecnológico, impútensele o no, en mayor o menor medida, sus alteraciones a la acción de quienes manejan las palancas de la Administración pública. Y es, desde luego, evidente que la sociedad española se encuentra en pleno proceso de mutación, del que pueden dar testimonio, sin ir a buscarlo más lejos, las páginas gráficas de cualquier diario.

¿Cuánto, en qué y cómo ha cambiado España? Ahora que me he comprometido con la New York University a inaugurar la nueva cátedra allí creada bajo la advocación del Rey Juan Carlos I, dirigiendo en ella un seminario acerca, precisamente, de las características que definen la fisonomía de la sociedad española contemporánea en comparación —y para muchos aspectos, quizá en contraste —con la imagen tradicional que de nuestro país se tiene fuera de él, deberé preocuparme por medir, contar y pesar los elementos del cambio que ha experimentado.

Supongo que ésta es labor de sociólogo y, por lo tanto, deberá ser llevada a cabo con pretensiones de objetividad científica, aunque tal cientificidad no implique, según yo la entiendo, una vocación de tedio ni obligue al empleo de jergas «difíciles». A lo que sí obliga es a prescindir en lo posible de apreciaciones valorativas, considerando que, aun cuando la sociedad humana, como histórica que es, se encuentra sometida a incesante cambio, el cambio no es por sí mismo ni bueno ni malo, ni apetecible ni deplorable, y que muy probablemente contendrá factores positivos y factores negativos cuyo juicio corresponde establecer según criterios propios de la normativa ética, que es ya otra instancia.

Mi intención es establecer como marco de referencia para ese próximo trabajo académico los rasgos que configuran aquella imagen tradicional de España que suelen ver en nosotros los ojos extraños y que nosotros mismos habíamos asumido de buen grado como característica de «lo español», procurando fijar su origen y desentrañar en ella los elementos básicos de realidad histórico-social y los elementos de hipóstasis ideológica que contiene para, partiendo de ahí, analizar los datos que ofrece la actualidad y determinar lo que perdura en ésta del pretérito y lo que, por haberse modificado, o bien eliminado y sustituido, autoriza la formación de una nueva imagen.

Se trata de temas que, en otras ocasiones y en contextos diversos, me han ocupado ya antes de ahora. Por lo que se refiere a la imagen típica —y tópica— de España, vigente hasta la fecha, parece seguro que debió constituirse muy a principios del siglo XIX, cuando el precoz romanticismo alemán se encandiló con el teatro español del siglo de oro, cuyas concepciones y actitudes pasaron a ser tenidas en toda Europa por expresión genuina de nuestro espíritu nacional, pues era aquélla —téngase en cuenta— la época del *Volksgeist,* con el consiguiente entusiasmo por todo lo pintoresco, peculiar y particularista. Desde las visiones ofrecidas por los viajeros que venían a «descubrir» España acuñando la que pudo llamarse «España de Merimée» hasta las ínfimas cupletistas y tonadilleras castizas de ayer, con sus gritos y desplantes, se fue plasmando así el estereotipo que permitiría, por último, afirmar con fines turísticos que *Spain is different.*

Lo que pudiera haber de plausible en esa imagen, es decir, sobre qué base de realidad sociológica se encuentra montada, es cosa a averiguar escudriñando la sociedad que produjo nuestro llamado teatro nacional, y discriminando lo que éste encierre de verdad y de ficción, de conducta práctica y de valores convencionales, para preguntarse después acerca de la posible fosilización de conductas y valores tales dentro de la conciencia colectiva de los españoles, así como de su refracción superficial y trivializante en el siglo pasado por efecto de la asumida ideología nacionalista.

La tarea no es nimia, bien se advierte. Requiere ante todo ponerse de acuerdo, mediante el examen y discusión de documentos de muy varias categorías, sobre cuáles eran los términos reales de aquel ambiente sociocultural, estableciendo luego qué es lo que ha pervivido —y cómo— a través de las mudanzas que el tiempo inexorable hubo de introducir, hasta llegarse al momento actual.

Siendo así, fácil será comprender que sólo aspiro con ese programa a abrir algunas brechas y, con suerte, a echar las semillas —pues de un seminario se trata— para que otros, con ánimo fresco y tiempo por delante, avancen en un empeño que a primera vista parece digno y fructífero.

Comienzan las clases

Con las reservas y cautelas expresadas al final de ese escrito, me dispuse, pues, a iniciar la tarea. El primer día de clase, apenas puesto en contacto con los jóvenes estudiantes de la universidad norteamericana, les propuse nuestro plan de trabajo, indicando que debíamos acercarnos hacia la comprensión de la realidad actual de España a partir de la idea previa que cada cual tuviera formada en su mente acerca de lo español o hispánico. Y, tras de algunos intercambios de opiniones, pronto pude persuadirme de que esa idea previa era, en casi todos ellos, excesivamente vaga, imprecisa, tópica, y tal vez condescendiente.

Para tratar de fijar los perfiles del estereotipo hispánico, y como materia de discusión inicial, me referí ante todo a una novela famosa que, sin duda, conocían (aunque quizá, algunos, sólo a traves de su versión cinematográfica: *For Whom The Bell Tolls (Por quién doblan las campanas)* de Hemingway, autor éste que, familiarizado con España, contribuyó mucho a propagar en Norteamérica y en el resto del mundo su visión de este país y de sus habitantes. Y precisamente esa novela suya se encuentra ambientada en medio de nuestra guerra civil —un acontecimiento central en el destino de la entidad histórica llamada España que entonces obtuvo universal proyección, de modo que las pretendidas peculiaridades hispánicas debían resaltar bien sobre su fondo. Como base de posible debate acerca de dicha obra de ficción, puse en manos de mis estudiantes cierto escrito mío que en su día había sido reacción inmediata, entre indignada y dolorida, a la lectura de la novela. Este escrito, y a continuación otro ensayo mío donde procuro esquematizar el estereotipo hispano, serán ahora los primeros capítulos en la presente colección de los papeles del curso sobre *Continuidad y Cambio en la Sociedad española,* dictada en la New York University el año 1986.

LA EXCENTRICIDAD HISPANA

Habiendo interrogado en cierta oportunidad a un buen conocedor de los países de cultura hispánica acerca de cuál fuera, según su experiencia de viajero, el más visible rasgo de nuestro común carácter, opinó que a su entender lo sería una especie de resentido orgullo, manifiesto, eso sí, bajo muy diversos temperamentos, desde lo adusto hasta lo más irónico y aun jocoso.

Sobre esta observación, que estimé atinada y discreta, se me ocurre pensar si ese rasgo común, fraguado sin duda en una común experiencia, no tendrá origen en la irritación oscura producida por el modo peculiar de nuestra relación con el exterior y en la actitud que, por consecuencia, se adopta desde el exterior para con nosotros.

Que nuestra fisonomía aparezca desfigurada a los ojos extraños no es cosa que pueda provocar ni inquietud, ni siquiera asombro; mucho menos, resentimiento. La incomprensión humana hacia lo ajeno —que sólo se entiende apelando a las claves del propio ser y, por tanto, en aquella medida en que lo ajeno aparece no como distinto sino como idéntico— es algo que corresponde a las vivencias generales. Sobre esta vivencia básica están fundadas las diferentes posiciones que adopta el ánimo frente a las conductas cuyo sentido se nos escapa: el proceder incongruente de un personaje absurdo moverá a risa cuando no inquiete; las prácticas de un pueblo distante cuya cultura nos es desconocida por completo suscitará la impresión del misterio, con todos sus matices psíquicos, curiosidad, seducción, encanto, miedo... Pero tales posiciones del ánimo son intercambiables según las circunstancias y, sobre todo, según la relación vital en que nos hallemos con lo contemplado —pues las mismas manipulaciones de una tribu africana capaces de despertar un sentimiento de risueña sorpresa en el lector de un libro de viajes llenarán de angustia al explorador objeto de las actuaciones cuyo sentido ignora—, remitiéndose todas ellas, en definitiva, al hecho de la incomprensión hacia lo ajeno.

No sería, pues, ocasión de resentimiento —aunque sí, acaso, de hostilidad— la mera y previsible comprobación de que los extraños nos desconocen en la medida en que somos extraños para ellos. Lo que produce esa resentida irritación del orgullo es que nos encontramos aquí en presencia de un desconocimiento unilateral, de una parcial incomprensión cuya contraparte está constituida por una apasionada comprensión de nuestro lado, y tan generosa que a veces toca en el extremo de lo ridículo. Así, mientras los pueblos de cultura hispánica tienen puestos los ojos en el extranjero, y cualquier producto de la espiritualidad ajena es recibido, aceptado, apreciado y supervalorado con premura en virtud de un complemento de autoridad que su procedencia añade a su calidad intrínseca, el extranjero se vuelve hacia nosotros en actitud distraída y contempla con curiosidad divertida o atónita nuestra extravagancia.

La extravagancia de nuestro carácter es, en efecto, lo que da origen a tan peculiar y desairada manera de relación con el exterior. Nos movemos al margen, descompasadamente. Ocupamos una posición excéntrica. Y si nuestra comprensión absorta de los otros se retribuye con una radical incomprensión es porque, a partir de la gran crisis del Renacimiento, el inmenso cuerpo histórico de la cultura hispana ha vivido privado de la iniciativa y validez que presta el poderío político, y se ha visto obligado a gravitar, extravagando, sobre otros núcleos de cultura, superiores, si no en calidad, en eficiencia práctica. A ello obedece, para citar un caso inmediato y obvio, el predicamento en que ha entrado la literatura norteamericana (no importa cuáles sean sus excelencias o defectos) tan pronto como se inició el ocaso de lo francés que nos venía sirviendo de norma. A ello obedece también el correlato de que, cuando algo nuestro alcanza a prevalecer fuera, prevalece a favor de la moda, degradado a la categoría de elemento decorativo, prendido a las fluctuaciones del más superficial capricho, y en conexión con una de las dos líneas en que suele producirse la deformación de nuestra fisonomía: aquella que señala hacia lo pintoresco. Pues nuestra extravagancia, el «sin sentido» de nuestra realidad para los ajenos, se concreta en una deformación caricaturesca polarizada, según el sentimiento que domina el complejo emocional, en dos direcciones fundamentales: la que se complace en el tipismo y la que se horroriza con la «leyenda negra».

No me propongo tocar ahora, más allá de esta pasajera alusión, el problema de nuestro excentricismo cultural, al que con toda probabilidad concurren las principales cuestiones de nuestro destino histórico. Tomar siquiera conciencia de él exigiría muchas páginas y análisis copiosos, inadecuados a la índole del presente escrito. En cambio, es pertinente y puede resultar útil ilustrar el mencionado efecto deformador de nuestro ingrato emplazamiento cultural mediante un ejemplo extraído de la actualidad, que aquí se aporta a manera de nota o apunte.

Ese ejemplo, ocasional pero adecuadísimo, es el que ofrece la novela de E. Hemingway *Por quién doblan las campanas,* conocida en nuestro idioma por los malos oficios de una poco recomendable traducción. Digo que es un ejemplo especialmente idóneo porque ese libro cumple la triste proeza de reunir y hasta fundir en una sola pieza las dos direcciones, opuestas y, al parecer, inconciliables, en que —según queda dicho— suele nuestra extravagancia extraviar al extranjero: la de lo pintoresco, bajo el signo de una embobada placidez, y la de lo tenebroso, bajo el signo del horror.

El tema elegido hubiera sido el más apto para superar la inveterada incomprensión: se trata de la guerra de España, momento histórico en que lo hispano adquirió de diversos modos, otra vez después de siglos, un sentido universal, y se expresó en términos elementales, inteligibles para cualquier comprensión humana. Pero de ese tema nos sirve Hemingway un testimonio de espantosa frivolidad, tanto más evidente por ser un testimonio rendido en espíritu de simpatía. Su libro levanta el mismo género de indignación que la vestimenta convencional de los sudamericanos o la moral y costumbres centroamericanas en las habituales películas yanquis. Sólo que más profunda, y con mayor fundamento. Pues no es ya cuestión de las inexactitudes de detalle —cómicas a veces— en conductas y objetos aportados como típicos, en que incurre este turista de excepcional riesgo y *chance* que es Mr. Hemingway; ni tampoco, siquiera, de esa peculiar deformación de la realidad a que lo lleva su posición de testigo foráneo y que da el curioso resultado de que, según la fábula, en la guerra de España no cupiera a los españoles mismos otro papel que el de elemento perturbador, dificultosamente manejado por abnegados e inteligentes extranjeros; pues resulta disculpable que un literato en visita cuyo campo de movimiento está limitado por las circunstancias especiales y que ha de actuar dentro de los círculos de corresponsales de prensa y observadores militares, adquiriendo ahí sus datos, incurra en la ilusión óptica de agrandar las proporciones de este primer plano y olvide llevar a cabo la corrección que imponen las leyes de la perspectiva. Lo lamentable no es eso; eso será lamentable, a lo sumo, en cuanto muestra de inmadurez literaria en un autor que, ingenuamente, cae en tan burdo defecto de composición. (Distinto sería el caso si, consciente de lo forzado que es su punto de mira, lo utilizara con deliberación, exagerándolo incluso, para obtener por contraste la referencia a la realidad cuya esencia persigue y trata de objetivar en su obra.) Lo lamentable es que ésta arroja una visión esencialmente —y no sólo accidentalmente— falsa, o mejor dicho, falsificada, mistificada, retorcida y fraguada, de España; una visión en la que se combinan los colorines de la «España de pandereta» con los tintes sombríos de la «España negra».

Ya el censo mismo de los principales personajes españoles que aparecen en la novela bastaría para caracterizarla como un producto de ese género literario cuyas manifestaciones inferiores suelen calificarse de «españolada»: una figura torva, criminal oscuro correspondiente al tipo clásico del bandido; la mujer de un torero, convencional pretexto para digresiones inconducentes en torno a la tauromaquia; otro torero, fracasado; un gitano, sobre cuyo apelativo de Rafael se encaja el atuendo psíquico de lo *calé;* una muchacha, desdibujado complemento erótico-sentimental del apuesto galán norteamericano, héroe de la narración. Y todo ello, dentro del escenario teatral de una cueva en la montaña...

Lo lamentable es, sobre todo, que esta creación, esta ponderación romántica de lo peculiar pintoresco-tenebroso, de escaso significado literario en sí misma, toma pie y materia en una hora histórica de proyecciones universales, fundiendo las dos direcciones en que artísticamente se había polarizado y cristalizado desde siempre la incomprensión hacia lo hispánico en una obra que, a favor del prestigio de su procedencia y del salvoconducto que le presta la actitud de simpatía, siquiera sea externa, de su autor, puede contribuir a poner en vigencia una *construcción* que recubra de falsa validez local lo que, a partir de una autenticidad frenética y por virtud de ella precisamente, hubo de elevarse a símbolo universal de valores independientes del tiempo y el espacio.

Pero, para ejemplo, con lo dicho es suficiente.

LO HISPANICO VISTO EN EL MAS SUMARIO, SUPERFICIAL Y CONVENCIONAL ESQUEMA

Hace ya tiempo, cuando apareció traducida a nuestro idioma la novela de Hemingway *Por quién doblan las campanas,* publiqué en *La Nación,* de Buenos Aires, un comentario bastante destemplado acerca de la visión de España a que respondía un libro como ése, escrito, sin embargo, en espíritu de tan fervorosa simpatía. El artículo se titulaba «La excentricidad hispana» e insistía sobre el exceso y la desdichada impropiedad de presentar reunidos, combinados, los colorines de la España de pandereta con los tonos sombríos de la España negra, dando así una expresión literaria pintoresca a la gesta y sacrificio de un pueblo que había encarnado en aquel momento valores universales muy puros, a los cuales, precisamente, el propio autor pretendía rendir homenaje con su libro.

Sin embargo, quizá mi reproche no era por completo justo. Es muy probable que Hemingway retratara a España tal cual, en realidad, la veía. Sólo que la veía según los clisés corrientes. Recuerdo, en efecto, que las opiniones vertidas en aquel comentario mío produjeron cierta extrañeza y suscitaron discusiones dentro de un grupo de españoles emigrados de la guerra civil, muchos de quienes, por el contrario, encontraban plausible la visión que de su patria ofrecía el novelista extranjero. Ellos también aceptaban la estampa romántica; también ellos, españoles, veían a España con los ojos de Merimée.

Y es que, al fin y al cabo, lo que se llama el carácter de un pueblo, sus rasgos, sus propensiones, el estilo de su comportamiento, su exteriorización vital en conjunto, no deja de ser en cierta medida una construcción intelectual montada sobre abstracciones: un esquema mental. De la inagotable variedad humana se han extraído, seleccionado y aislado ciertos elementos que en un momento dado se estimaron *típicos* por creer que expresan con mayor propiedad, vigor o constancia una profunda manera de ser, esa supuesta esencia nacional que en atención a su presente y a su pasado se le atribuye a ciertas colectividades históricas. Pero, una vez constituida tal imagen, quizá convincente, como pueden serlo las instantáneas del turista, pronto se erige en paradigma y adquiere un valor preceptivo, no sólo como pauta de interpretaciones venideras, sino también —lo que es más curioso— en cuanto modelo válido para los miembros de la propia colectividad, quienes, con deliberación o sin ella, procuran entonces ajustar a él sus actitudes y satisfacer así las expectativas vinculadas al correspondiente esquema; o cuando menos, aceptan sin complacencia su validez, como la de una realidad indeseable, tal vez vituperable.

España se había ido extrañando cada vez más de Europa en el sueño de la Contrarreforma, hasta que el Romanticismo descubre un día a la Bella Durmiente y se queda prendado de sus inertes encantos. Los episodios de su pasado —pasado el miedo, mitigado el odio— excitaban una fantasía ávida haroa de exotismo, de caracteres singulares y de conductas bizarras —en la doble acepción, francesa y española, de esta palabra—. Vinieron en seguida los viajes a la Península. Merimée escribió *Carmen,* Bizet la convirtió en ópera: había surgido *l'espagnolade.*

Pero la españolada, cuya tradición no se ha interrumpido hasta hoy en plumas extranjeras, prendió en seguida, igualmente, entre los mismos escritores románticos españoles, se prolongó de manera diversa en varios planos, algunos ilustres y muy refinados, otros ramplones, y vino a caer por último en el recitado zarzuelero, la tonadilla ínfima y el cromo de almanaque, subproductos de una estética degradada que encarna a placer las emociones y representaciones vulgares.

Poco discutible parece el hecho de que la estampa convencional de España, de lo español, moneda de curso corriente tanto fuera como dentro de nuestra comunidad, se acuñó en el Romanticismo, es decir, en el apogeo del pensamiento y sentimiento nacionalistas, y con el troquel conceptual germánico del *Volksgeist,* sobre materiales extraídos de la literatura castellana clásica, en particular el teatro del Siglo de Oro, en aleación con las nociones vagas y prejuicios definidos que en la conciencia europea había dejado la actuación histórica del imperio español. Tardíamente, pero con un retraso no desprovisto de causa, la generación del 98 tomó en sus manos y dio vuelo teórico dentro de España misma al problema de España, convertido ahora en una especie de rabiosa manía («Me duele España en el cogollo del corazón», declamaría Unamuno); y las generaciones siguientes continuaron discutiéndolo, a la vez que prodigaban y abarataban los símbolos de aquella hispanidad defendida: carabelas, tizonas, ocasos de Flandes, leonas de Castilla y ricardos leones, glorias de don Ramiro, damas del armiño, sillones frailunos, bargueños y demás mueblería «Renacimiento español», hasta completar la galería de tópicos iniciada con las figuras románticas; adobado todo el guiso con una especiosa salsa de folklore que le prestaría sabor inconfundible.

En fin, el cuadro está completo: España *es* así; con tales formas y colores se nos pinta en el magín. Y bastará cualquier rasgo, cualquier detalle sacado del conjunto, para evocarla. Cuando las empresas de turismo se dirigen a las gentes del mundo para sugerirles un viaje a España —o a México— suelen acudir, de preferencia, a imágenes taurinas: una faena, el perfil de un coso. Y a semejante estímulo responde automáticamente, como un reflejo condicionado, la composición mental más o menos rica, más o menos teñida de encanto, que el distraído paseante se tiene formada del ámbito hispánico, coincidiendo con el clisé que, complementado tal vez por la bailarina flamenca y la no menos curvilínea guitarra, sirve a los españoles mismos para visualizar la idea abstracta de su patria. En unas cuantas líneas, o acaso en los compases de un pasodoble, puede llegar a cifrarse realidad tan compleja...

Un viajero inglés de años recientes, H. V. Morton, escribía en su libro *A Stranger in Spain* que la España de cartel turístico nació en Sevilla durante el siglo XIX, y fue creada en gran medida por las clases ricas de Inglaterra que llegaban en barco a Cádiz o a Gibraltar. «No hay duda —añade— de que si nuestros padres hubieran abordado a España por el viejo camino a través de los Pirineos o por La Coruña, la España romántica de los carteles pudiera haber sido algo distinta; y el andaluz, con su sombrero cordobés, sus patillas, su chaqueta corta y sus pantalones estrechos, no se hubiera convertido en el español típico para tanta gente en el mundo.» Sin embargo, esa imagen no es fruto de la pura casualidad, y procuraremos demostrarlo. La concepción corriente de España y de lo español típico procede, no sólo del encanto que encontraban los turistas ingleses o los literatos franceses del siglo pasado en un ambiente extraño y pintoresco, sino que es también resultado de una decantación del juicio que las naciones europeas se formaron de la nuestra a lo largo de la Edad Moderna, en el curso de experiencias políticas y militares sucesivas, durante ese movido período en que se despliega la historia de la hegemonía y destrucción del poder español; e igualmente, en gran medida, de la apreciación de los españoles mismos, preocupados cada vez más por su destino colectivo, y aplicados con melancólica pertinacia, después que ese destino se hizo manifiesto en el sentido de la decadencia, a escrutar los vicios o defectos o meras causas que pudieron haberlo precipitado.

Pero esa concepción se corresponde, a su vez, con la realidad de unos rasgos objetivos constituidos en el correr de la historia y que caracterizan hoy el conjunto social aludido por el adjetivo de «español» o, más general e imprecisamente, «hispánico». Que tales rasgos existen y definen una particularidad es cosa fuera de toda razonable duda. Sin negar la evidencia, no podría negarse que las colectividades poseen una fisonomía por la cual se distinguen unas de otras. Pero también es muy cierta la dificultad de precisarla. No hay en este terreno aserto que no tropiece en seguida con la contradicción de hechos opuestos ni tenga que enfrentar el testimonio de experiencias que lo desmientan; pues todo grupo humano está integrado por individuos, cada cual con su propio carácter personal, no necesariamente coincidente con el que se atribuye a la colectividad, tal vez antagónico; y descartados uno por uno todos sus miembros individuales —únicos centros posibles de imputación psicológica—, la baraja de la colectividad queda disuelta.

Sin embargo, es probable que los obstáculos frente a cualquier intento de fijar en sus notas decisivas nuestro común carácter no sean mayores que los que deba superar cualquier intento semejante relativo a otros pueblos, tal como el de definir *lo* alemán, *lo* francés o *lo* norteamericano. El principal problema reside en la imprecisión propia de toda estructura de vida colectiva, donde sólo por analogía (y es una analogía bastante peligrosa, demasiado arriesgada) puede verse algo comparable a una unidad individual, a la conciencia incorporada en alguna especie de organismo biológico. Eso que entendemos por lo español, como lo inglés o lo italiano, ha cambiado a lo largo del tiempo, hasta el punto de hacerse cuestionable la identidad espiritual de la pretendida nación consigo mismo en épocas distintas del pasado histórico. Si existe una manera de ser colectiva, un sujeto nacional, sus contornos se pierden en el tiempo y en el espacio. ¿Dónde y cuándo empieza lo español? ¿Hasta qué fronteras se extiende?, habrá que preguntarse. Mas ¿cómo responder a estas cuestiones sin haber establecido antes en qué consiste? ¡Escurridizo resbaladero para quien por él se lance con más denuedo que precaución!

Se me ocurre que quizá la manera menos comprometida de abordar el tema sea acercársele, por lo pronto, desde fuera, arrancando de la más externa, más ajena, más inocente, más sumaria, más convencional construcción, para adentrarse luego, a partir de su marco, en busca de aquellas precisiones que el análisis y la suerte de consuno quieran proporcionarnos; preguntarse: ¿Cómo verá, acaso, lo hispánico el hombre de la calle en Noruega, en el Canadá? Símbolos tan simples, lugares comunes tan trillados, estilizaciones tan abreviadas como la taquigrafía de los carteles turísticos, pueden servirnos bien para el caso —mejor, desde luego, que cualquier elaboración de tono intelectual, por autorizada y valedera que quisiéramos considerarla—. Hagamos, pues, la experiencia a base de una anécdota personal.

Viajando una vez por el centro de los Estados Unidos tuve necesidad de averiguar, con mi deficiente inglés, una dirección; y la persona interrogada inquirió a su vez cuál era mi idioma natural. Informarla fue desencadenar en su mente un premioso desfile de ralas figuras. Escanció con delicia unas cuantas palabras: *Señorita... Sombrero... Mañana...* En estos vocablos se cifraba, sin duda, su noción de lo *Spanish.* Y me parece que bien podríamos nosotros atenernos a esos tres tópicos y, usándolos como una clave, tratar de desentrañar los significados a que aluden.

Señorita. Sombrero. Mañana. ¿Quiénes son estos personajes? ¿Qué llevan dentro? ¿De qué están hechos?

A Señorita no podemos, en rigor, decir que la conozcamos. Sabemos muy bien, sí, quién es; pero de eso a conocerla va una gran diferencia: toda la distancia que media entre ella y el bajo mundo, a sus pies; toda la distancia que ella se cuida de establecer entre sí misma y los demás. Recatada, compuesta, altiva en su trono, es todavía —digna destinataria del amor cortés— la dama que los juglares provenzales cantaron; pudorosa, es la idealizada Virgen de Murillo, la Inmaculada. ¿Cómo no recordar el párrafo con que inicia su *Idearium español* Ganivet (ese mismo párrafo que Waldo Frank tomó por lema de su *Virgin Spain)* sobre la adhesión de España al dogma de la Purísima Concepción? Ganivet lo confundió, como es notorio, con el de la Encarnación; pero su ligereza teológica es disculpable si se piensa que, en definitiva, el nuevo dogma no hace sino remachar la virginidad de María, elevarla a segunda potencia, afirmando que la Madre de Dios, la Virgen, había sido, a su vez, concebida sin pecado. Pues lo que importa por encima de todo es la virginidad, valor supremo al que nuestra Señorita, desde luego, responde.

Virginidad significa reserva, negativa, clausura. Y por eso Señorita vive cerrada al mundo; sus párpados velan modestamente la mirada. Puede sospecharse, adivinarse bajo ellos, o detrás del clásico abanico, un fuego inquietante, que a todos conviene mucho mantener oculto. Sí; más vale pasar por alto el furtivo relámpago y no acercarse demasiado, no con imprudencia, al sagrado y peligroso misterio. Porque como virgen, Señorita envuelve el peligro de lo desconocido; es un libro sellado; es ese melón del que no sabemos si nos saldrá dulce o desabrido, y que, si lo tomamos, debemos aceptarlo a ciegas, como una decisión del destino; pues según el dicho popular, «casamiento y mortaja, del cielo baja».

Pero, sin darnos cuenta, nos hemos deslizado ya a hablar de matrimonio. Era inevitable: para entender a Señorita necesitamos al otro personaje, a Sombrero, sin quien ella decae en el monjío, perpetuando la custodia de un tesoro cuyo valor cotizable se disipa con el tiempo, aunque su valor espiritual y moral sea inmarcesible. Así, nuestra Señorita no puede explicarse sino en función de Sombrero, su galán.

También, como ella, Sombrero resulta ser un personaje bastante imprevisible, pero no por causa de indefinición, ocultación, secreto y reserva; antes por lo arbitrario que es. El es muy suyo, muy hombre (muy *nada menos que todo un hombre);* vive en su propia ley, una ley cuyas cláusulas pueden parecer a veces bastante desconcertantes. Sombrero es ya el Don José de *Carmen;* Sombrero es el contrabandista andaluz, el torero; el gaucho argentino, el huaso chileno; pero donde hoy se nos suele aparecer más frecuentemente (recuérdese que lo estamos contemplando desde afuera) es asomado, con su bigote renegro y la mirada sospechosa, a la frontera de México. Sombrero viste vistoso, bonito y raro; tiene guitarra y sabe cantar, monta a caballo y se hace justicia por su propia mano. También, más de una vez se conduce en forma traicionera. En definitiva, Sombrero es un tipo muy poco de fiar.

Sus relaciones con Señorita son singularísimas; pudieran compararse a la lucha entre dos animales de especies distintas, cada cual con sus propias armas y recursos. Señorita, cómo no, sabe cuán terrible es Sombrero. Sombrero se propone seducirla y ella no lo ignora; pero al mismo tiempo que se defiende contra ese terrible riesgo, Señorita procurará que el adversario caiga en la trampa; es decir, sucumba al matrimonio, última humillación de Don Juan, pero condición indispensable para que la honra de ella quede a salvo.

Puestas así las cosas, el idilio se desenvuelve en un juego de peripecias cuyo final decente serán las bodas. Y ahora Señorita asume la dignidad de madre, pudiendo aplicársele la frase de Ganivet en el párrafo indicado cuando compara España a «una mujer que..., convertida en madre por deber, llegará al cabo de sus días a descubrir que... el alma continuaba sola, abierta como una rosa mística a los ideales de la virginidad...».

No creo necesario advertir, llegados a este punto, que con lo dicho se trata siempre de trazar un esquema y, por momentos, en tono de caricatura. Señorita y Sombrero forman la pareja protagonista del mundo hispánico, según puede verse desde fuera en simplificación suma. En lo que tiene de típico a los ojos extraños, ese mundo constituye una sociedad patriarcal, integrada por unidades domésticas donde el varón es el amo, que reúne en sus manos la propiedad sobre las cosas y la autoridad sobre las personas; señor territorial, nunca tan pequeño que deba arrimar el hombro al trabajo, pero tampoco lo bastante grande para no tener que revalidar de vez en cuando su prestigio con el esfuerzo de su brazo, en alarde de hombría y destreza. Es un barón, con be; es un caballero; y, en la mala, lo último que pierda será su caballo. A lomos de él se saldrá al monte, llegada la ocasión; cabalgando se internará en la sierra, en el desierto... Pero dejémosle todavía instalado en su casa, al frente de sus capataces y de sus peones, en el centro de su ley, de su valor y de su libertad. Ahí, dentro de esas condiciones, su orden moral, que nos parecía un tanto extraño, arbitrario y pintoresco, se nos hace inteligible; funciona a base de unos supuestos sociales congruentes.

Estos mismos supuestos sirven también para explicarnos al tercer personaje, del que todavía no hemos hablado; ese sujeto que responde al curioso apelativo de Mañana. Mañana es, en verdad, un sujeto fantasmal, sin entidad física, pero presente siempre en el mundo de Señorita y Sombrero, ese mundo natural, agropecuario, regido por el sol y la lluvia y la rotación de las estaciones; sin quehaceres perentorios, ni términos fijos, ni citas puntuales; sin relojes, en fin. Tal presencia no consiste, por otra parte, en actualidad ninguna, sino, al contrario, en la negación de ella. Mañana no es tanto una expectativa como una postergación, renovada de continuo.

Mañana será otro día. Y es sabido que cada día tiene su afán. ¡Quédese, pues, para mañana! Pues mañana, Dios dirá. Y así, de un día para otro, se desliza siempre sobre el siguiente la tarea de vivir; y esta vida consistirá en ir matando el tiempo, hasta haber alcanzado por fin, gracias a Dios, la vida perdurable.

Fue Larra, creo, quien estigmatizó definitivamente a nuestro personaje, «este dichoso mañana», en un memorable artículo, donde, con vergüenza, con indignación, describe, bajo el título de «Vuelva usted mañana», las tribulaciones de cierto imaginario extranjero, un supuesto Monsieur Sans-Délai, que trae de París a España proyectos vastos para «invertir aquí sus cuantiosos caudales en tal o cual especulación industrial o mercantil». Sepa usted —le advierte *Fígaro*— que no está en su país, activo y trabajador... Larra atribuye el eterno mañana en que se estrella el empeño de su extranjero, sencillamente, a la pereza española; con una diatriba contra este pecado mortal inicia su artículo, pero, de modo implícito, apunta éste a causas mucho menos generales con sólo caracterizar, como lo hace, al activo señor Sans-Délai (esto es, Sin-Demora), que es, y no por casualidad, un empresario, un hombre de negocios, un burgués pendiente del reloj y del calendario, y cuyo choque con el ambiente español implica nada menos que el contraste entre el concepto capitalista del mundo, que él trae, y el precapitalista, que se encuentra fosilizado y pervertido en las formas de la vida hispana.

EL MAÑANA SIN MAÑANA

Cuando Larra fustiga la pereza española en su famoso artículo «Vuelva usted mañana» —«ese dichoso mañana» que hoy, todavía, sigue siendo para propios y ajenos una de las notas características y casi un símbolo de lo hispano—, se coloca él mismo en la posición de su monsieur Sans-Délai, se mete en su pellejo, cosa que por supuesto no le resultaría demasiado difícil, pues como hijo de emigrante *afrancesado* había recibido en Francia su primera educación, y a través de la personalidad del activo empresario observa a España desde fuera.

Ahora bien: quienes desde fuera abordan las formas retrasadas (o mejor, detenidas, pues aquí, según veremos, el matiz tiene mucha importancia) de la vida española suelen reaccionar a su contacto en dos opuestas maneras: ya con furor ante lo inerte e inmanejable de su realidad, y tal es el caso del Sans-Délai de Larra, que viene a invertir sus capitales y hacer negocio, o el del mismo *Fígaro,* español moderno, europeizante, que se consume de impaciencia ante la pereza de sus compatriotas, con sarcasmos que, al final, apenas logran disimular las lágrimas; ya con delicia inefable ante el espectáculo de esa Bella Durmiente que, en su encantado y encantador anacronismo, hace olvidar a sus corazones las asperezas, suciedades y demás prosaísmos de un mundo industrial, como le ocurre a un Barrès y a tantos otros turistas literarios prendados de lo pintoresco, y a los muchos españoles que hallan la manera de apaciguar su resentimiento o de cohonestar sus personales intereses en el mantenimiento del *status quo,* glorificándolo como expresión del genuino carácter nacional, de una manera de ser que, sólo por ser propia y distinta, es ya de por sí valiosa.

Sin embargo, el sistema de valores, las pautas de conducta y los tipos sociales que se dibujan tras de la clave Señorita-Sombrero-Mañana no son, en lo fundamental, peculiares del mundo hispánico; ni justo el reproche de pereza que Larra dirige a sus compatriotas. La exasperación del emprendedor Sans-Délai es la misma que han experimentado y siguen experimentando siempre de nuevo quienes por vez primera se proponen implantar actividades económicas de índole capitalista en una ambiente social precapitalista. Los descorazonadores y a la postre infructuosos esfuerzos que ese imaginario empresario francés lleva a cabo en el Madrid de la primera mitad del siglo XIX para invertir productivamente sus capitales, y cuyo fracaso atribuye Larra a la idiosincrasia española, se han repetido veces innumerables en las más distintas comarcas del planeta, y continúan repitiéndose hasta la fecha con invariable monotonía en los que ahora se denominan con pedantesco eufemismo burocrático países subdesarrollados. Sigue habiendo irritaciones, denuestos, quejas contra la incomprensible y —así se la califica— estúpida actitud de «esas gentes», sean ellas quienes en la oportunidad fueren; pero la diferencia, si diferencia hay, está en que ahora, tras de los estudios que un sociólogo alemán, Max Weber, inició en su día sobre la religión y el espíritu capitalista, algunas gentes saben ya muy bien que ese fenómeno poco y nada tiene que ver con la estupidez o la pereza, con cualidades intelectuales o morales de ninguna especie, sino que se trata de un desajuste de pautas culturales. Con lo cual, las grandes empresas incluyen a veces entre su personal y equipo colonizador los servicios profesionales de algún avisado sociólogo que aconseje acerca del tratamiento del problema.

Si el descuido acerca del tiempo —la consabida informalidad hispana, en contraste con la no menos proverbial puntualidad del británico, para quien el tiempo es oro— corresponde a las condiciones laxas de un ambiente social precapitalista donde el quehacer se encuentra integrado en la vida y no sometido todavía a horarios rígidos, a medidas mecánicas, también los demás modos de comportamiento, y los tipos humanos que ellos promueven, son el resultado de una organización precapitalista de la convivencia, sobre base eminentemente rural. Estas condiciones se describen a veces, con abuso y distorsión del concepto, como feudalismo, español o hispanoamericano; pero —innecesario parece decirlo— pueden encontrarse por doquiera, allí donde todavía no se ha conseguido imponer la sociedad industrial y urbana.

Hace unos años tuve ocasión de ver en París por vez primera una película griega, que llegaba pregonada como excelente: *La fille en noir* —una muchacha enlutada, sobre el fondo de paredes refulgentes de cal, en una aldea marítima muy semejante a las de mi natal Andalucía—. La familiaridad del escenario, gentes y paisajes, haciéndome retroceder hacia un pretérito personal ya muy distante, me preparó apenas para la comprobación de que en la Grecia contemporánea gozan de plena vigencia, y la trama de aquella película lo atestigua, pautas sociales que hubieran podido considerarse, con la autoridad de nuestro teatro del Siglo de Oro, propias y exclusivas del mundo español: un adolescente, único hombre de su casa, debe sacar fuerzas de flaqueza para reivindicar el honor doméstico atacando a adversarios cuya obvia superioridad hace patético su acto; y aun la madre culpable (culpable de lo que hallaría fácil disculpa, dadas sus circunstancias y estado civil, en otro ambiente) acepta con rara mansedumbre el castigo físico que a su pecado impone ese imberbe patriarca en quien, al enviudar ella, se ha convertido su hijo varón, jefe ahora de la familia. Estamos, pues, metidos de cabeza dentro del orden que esquematizan los símbolos Señorita-Sombrero-Mañana, con su vinculación del honor del hombre a la honestidad femenina y su característico reparto de papeles sociales entre ambos sexos. Pero en Grecia, no en España, Argentina o México.

Sin duda, al inglés o al norteamericano que se asoman a nuestro mundo le extrañarán, y quizá le parezcan odiosa la arrogancia masculina, indignante la formal sumisión de la mujer al padre, hermanos, marido o novio; o quizá todo ello le resulte admirable; pero de cualquier modo, tenderá a considerarlo como cosas nuestras, singularidades hispanas. En último término, no lo son, sino que pertenecen a una estructura socioeconómica cuya presencia en pueblos diversos arroja consecuencias paralelas. Y tanto más semejantes cuanto más elemental sea esa estructura; pues claro está que las diversificaciones culturales sólo se acentúan conforme la civilización nos va liberando de las necesidades naturales. En este sentido pudo apuntar una vez, lúcidamente, Eugenio d'Ors, frente a quienes se extasían y adoran los motivos del arte popular viendo en ellos la expresión pura y genuina de cada pueblo, que el folklore, como fruto que es de la cultura primaria, repite en todas partes, con notable monotonía, las mismas o análogas formas. ¿Significará esto, acaso, que las peculiaridades de carácter atribuidas por lo general a los pueblos hispanos se reducen, o pueden reducirse, a peculiaridades culturales propias de un cierto nivel de civilización material contempladas desde otro nivel más alto, donde se han desarrollado distintas pautas de cultura y con ellas una diferente manera de entender la vida? ¿Se tratará tan sólo de la fisonomía de una España precapitalista juzgada por el empresario Sans-Délai (o por el escritor Larra, progresista y europeizante)? ¿De la Hispanoamérica del caudillismo, observada por los periodistas yanquis (o por los hispanoamericanos de mentalidad, educación e ideología modernas)? Si esa reducción es factible —y el caso aducido de la película griega ilustra una respuesta afirmativa, que cualquier análisis de instituciones comparadas no tardaría en corroborar—, por otra parte, y dada la enorme complejidad de las realidades sociales, no es menos evidente que una tal reducción jamás podría cumplirse sin dejar residuo; pues si el hombre está condenado a moverse siempre dentro del círculo forzoso a que le someten tanto la naturaleza externa como la propia humana condición, también pertenece a ésta, y de manera esencial, el momento de la libertad, que él aplica a reobrar sobre sus estrechas circunstancias, expandiendo las fronteras de aquel círculo y ampliando así el área de sus posibilidades. Resultado de este libre,

Otra vez estamos, pues, a punto de aventurarnos en el resbaladero; otra vez nos seduce la tentación de adentrarnos a especular acerca de las peculiaridades de esa personalidad colectiva, y echar nuestro cuarto a espadas en un debate donde no podría uno competir con los alardes de tantos y tan altos ingenios sin haber intentado al menos revisar algunos de los supuestos sobre cuya base se discute. El hecho de que haya habido españoles como Larra, o como esos hispanoamericanos a quienes hemos llamado modernos y de los que pudiera tomarse como prototipo a Sarmiento (que, por cierto, consideraba a Larra, su contemporáneo, como el único escritor peninsular estimable), impide aceptar el supuesto carácter hispano a la manera de un dato previo incuestionable, enterizo y, sobre todo, inmutable. Si muchos españoles se vuelven contra lo que ellos consideran vicios de ese carácter y se esfuerzan por corregirlo, por cambiarlo más o menos radicalmente, ello prueba —pues de españoles se trata, y con frecuencia muy ilustres, es decir, representativos con el mejor derecho, y ligados entre sí por una fuerte línea de tradición reformista, que a veces, acá o allá, ha llegado a imponerse y prevalecer—, ello prueba, digo, que la tal manera de ser hispánica no es algo tan definido, ni menos tan definitivo como para que debamos colocarnos ante su enigma como ante el de una esfinge. Esos españoles de diferentes épocas y países nos están convenciendo, con su mera presencia antes aún que con sus palabras, de que hay otras maneras, actuales y posibles, de ser español; o sea, de que el pretendido carácter colectivo no es una fatalidad ni nos liga como un conjuro, dado que la colectividad donde tiene su asiento está formada por individuos humanos en cuya conciencia radica el principio de la libertad moral, que no actúa *ad libitum,* sino desde dentro de las circunstancias, pero que es muy capaz de modificarlas, y que de hecho las modifica de alguna manera, apoyándose en ellas, al cumplir la tarea asignada a todos los humanos con el nacimiento: la de vivir en el campo de la historia.

Quizá pudiera aclararse aquí de nuevo la situación con ayuda del ejemplo más simple que, en su pureza, nos ofrece la creación artística. En el Museo de Arte Moderno, de Nueva York, pueden verse, uno junto a otro, dos cuadros tan parecidos por su tema, concepción, realización técnica y, digamos, «fisonomía», que el distraído visitante lleva casi un sobresalto cuando, acercándose, comprueba que son obra de distinta mano, que el uno está firmado por Braque y el otro por Picasso, si bien ambos pertenecen a la misma fecha. Fecha muy significativa, sin duda, para el movimiento cubista. El pintor español (¿español?; sí, desde luego; pero ¡qué problema!) y el francés coincidieron entonces, y no por casualidad, se entiende; no involuntariamente, al expresarse en una cierta forma artística; y esa coincidencia entre ellos y con otros, de todo un grupo, justifica el concepto de movimiento cubista o el más amplio de escuela de París, pero no justifica, en cambio, la absorción de las personalidades artísticas individuales dentro del común patrón al que se han ajustado libremente —más aún: que han contribuido a establecer—, y del que también se han distanciado en mayor o menor medida, según los impulsos y necesidades de su particular desarrollo estético. Tomemos cualquiera de esos hermosos libros de reproducciones que ilustran, jalonada por sus mejores cuadros, la carrera artística de los pintores dichos: acaso encontremos ahí, en llegando a aquella fecha, las aludidas «naturalezas muertas» de Picasso y de Braque; pero ahora ya no se nos presentarán juntas, sino cada una dentro de otro contexto: el contexto de la evolución seguida por su autor, y en la cual ocuparán posiciones que muy probablemente alteran su significado relativo. El cuadro de Picasso se nos revelará «muy Picasso», y el de Braque, «muy Braque», sin dejar por ello de ser tan semejantes como nos parecieron primero, al verlos reunidos en la pared del museo.

De este ejemplo cabe sacar unas cuantas conclusiones extensivas al problema general que estamos considerando. Vemos, en primer lugar, que las caracterizaciones colectivas, tales como «escuela de París» o «movimiento cubista», son rótulos que describen un resultado producido por la actuación libre de individuos cuyas obras —*a posteriori* e invirtiendo la perspectiva— puede considerar la gente como manifestación y muestra del espíritu cubista. En segundo lugar observamos que esa creación es libre en cuanto que surge de la iniciativa de los artistas individuales, quienes, incluso, pueden aplicarse a ella en cumplimiento de un programa discutido y convenido por el grupo, pero que no lo es, en cuanto que necesita apoyarse en la tradición inmediata y remota del arte, siquiera sea para intentar contrariarla; es decir, que necesitan partir, como de un supuesto obligatorio, del estado en que la pintura se encuentra cuando ellos comienzan a cultivar su arte. Dicho estado o situación de la pintura constituye la circunstancia con que el nuevo artista debe contar, y es igual para todos los miembros de su generación. No la han elegido, porque no han elegido el lugar y tiempo histórico de su nacimiento; y vienen a hallarse ligados por una herencia común, que habrán de aceptar o rechazar en parte; encerrados dentro de unas dadas condiciones, a base de las cuales tienen que desplegar su libertad creadora. De ahí el aire de familia, de época, que —hayan tenido o no programa común, y por encima de las más acusadas disparidades individuales— presentan cuando se los observa en conjunto y a la distancia.

Valga esto también, en esquema, para las grandes colectividades, incomparablemente más complejas, y téngase en cuenta cuando se quiere investigar su personalidad, su carácter. No olvidemos que, a diferencia de lo que se entiende por carácter cuando nos referimos en términos psicológicos al sujeto individual, para quien la idiosincrasia está arraigada en el substrato biológico puesto por la naturaleza, el carácter de los sujetos colectivos es una creación cultural y, por lo tanto, libre, aun cuando condicionada, de la misma manera que —en su limitación— lo es la creación artística. Arraiga en las estructuras sociológicas que organizan la convivencia humana y que, a su vez, están sostenidas en las representaciones mentales de quienes las integran, formando espesísimo tejido, casi inextricable.

EL CARACTER DE LOS ESPAÑOLES

«Pero vamos a ver, profesor: ¿cómo es, en definitiva, para usted, el hombre español?; ¿cuáles son en opinión suya sus verdaderas peculiaridades? ¿Por qué no procura usted trazar para beneficio nuestro un retrato-robot de sus compatriotas?». Alguno de entre mis estudiantes conocía cierto añejo libro de Salvador de Madariaga, que en su día tuvo gran fortuna y crédito, dedicado a discernir los rasgos distintivos de los españoles por comparación con los franceses e ingleses. ¿No podría yo, entonces...?

Pensé que habíamos llegado ya en el curso a un punto en que se hacía oportuno encarar la cuestión de fondo; esto es, poner en cuestión lo bien fundado de caracterizaciones tales. Y para entrar a examinarla, repartí a la clase copia, en primer lugar, de un ensayo de José Antonio Maravall «Sobre el mito de los caracteres nacionales», y luego, de otro mío titulado «Digresión sobre el guardar las formas».

El escrito de Maravall se abre con una cita: «Si se ha podido decir que las naciones son 'comunidades de carácter que se han formado de comunidades de destino' (O. Bauer), ello constituye una corroboración del papel decisivo que a la idea de 'carácter nacional' le ha tocado desenvolver en la concepción de las modernas formas de comunidad política a las que llamamos naciones.» Y en seguida, tras de rastrear —como buen historiador que es— los antecedentes de la relación que suele establecerse entre las naciones y el pretendido carácter colectivo de sus habitantes, viene a documentar con autorizados textos el hecho curioso de que «la imagen del español a fines del XVI está dibujada por trazos de reflexión, cálculo, astucia, frialdad. Por su reiteración y por la calidad de algunos de sus autores —concluye—, hemos de tomar esas representaciones como estereotipos del español en la época de preponderancia política de España, y no deja de ser interesante advertir que a lo que más se parece es al estereotipo de los hijos de la 'pérfida Albión' en el período de su hegemonía».

En efecto, no podría ser más chocante el contraste entre ese supuesto *carácter español* que en el Siglo de Oro se nos atribuye y la caracterización romántica de los españoles como impulsivos, despreocupados, desprendidos, espontáneos, ardientes y pasionales que todavía prevalece hoy y en la que, por lo general, nosotros mismos nos reconocemos complacidos. Son dos estereotipos opuestos. ¿Tanto puede alterarse y mudar con el tiempo el carácter de los pueblos?

Análogos cambios de imagen insiste Maravall en mostrar por cuanto afecta a otras naciones. Y lo que queda claro es que la imagen corriente de una colectividad se encuentra relacionada con la posición que ella ocupa en el campo de las competencias de poder.

Por mi parte, con el ensayo que puse a disposición de mis estudiantes, he procurado explicar en términos de análisis sociológico la mecánica según la cual se procesa y cuaja la imagen de un cuerpo colectivo. Así es cómo, a mi entender, ocurre el fenómeno:

Digresión sobre el guardar las formas

«¿Qué es una nación?», se preguntaba Renan, como se lo ha preguntado —y tratado de contestar— otra mucha gente. Pero ¿qué es una iglesia? ¿Qué son una municipalidad, una familia, una sociedad anónima, un imperio, una tertulia de amigos?

El hombre, *homo faber* según la denominación del naturalista, se distingue entre las demás especies zoológicas por la gran cantidad de cosas diversas que ha creado, apoyándose en su condición natural para superarla. Esa multitud de cosas, desde el hacha de sílice hasta el cerebro electrónico o, si se prefiere, la música atonal, la pintura abstracta, constituye lo que en su conjunto denominamos cultura, por contraste con la cruda naturaleza.

Ahora bien: dentro de su abigarradísimo conjunto es posible aislar una categoría de objetos cuya peculiaridad estriba en estar hechos, no de piedra ni a base de vibraciones sonoras, ni manipulando el átomo (es decir, no con los materiales que la naturaleza exterior nos ofrece), sino con el solo hierro y el solo cemento de la vida humana misma. Resultaría impropio de este lugar un análisis detallado de dicha categoría de objetos o la discusión de su índole, que, por lo demás, ya intenté hace años en mi *Tratado de Sociología,* donde cualquier lector curioso del tema encontrará algunas puntualizaciones. Lo que al propósito actual interesa es dejar subrayado que objetos tales —a saber: los objetos de la realidad social— carecen de existencia fuera del campo de la conducta humana, que se encuentra regida por representaciones mentales y responde a contenidos de conciencia.

Si por un momento suponemos eliminada a nuestra especie del haz de la Tierra (y ahora que alentamos en la angustia del terror atómico bien pudiéramos imaginar esa eliminación como un resultado de su propio ingenio en el progreso último de la cultura), quedarían siempre en el desierto ruinas materiales que testimoniaran de ésta; y acaso la torre Eiffel y el nuevo palacio de la Unesco llamarían la atención de exploradores llegados desde el remoto espacio a nuestro deshabitado planeta o despertarían el espíritu investigador de nuevas especies desenvueltas sobre su arrasado suelo a partir de algún saurio o pez remanente; pero no quedaría, en cambio, vestigio capaz de dar por sí mismo fe de que hubo una vez lo que hoy llamamos Francia, o Inglaterra, o esa organización llamado Unesco, u otra llamada la Cruz Roja, o una mancomunidad de riegos o de aprovechamientos forestales, en tal o cual región; de que hubo matrimonios, gobiernos, partidos de fútbol. Los objetos sociales no habrían dejado residuo físico alguno. Consisten, según se ha indicado, en modos de comportamiento ajustados a ciertos contenidos mentales y carecen de cualquier otra consistencia. Si un raro fenómeno de generalizada amnesia parcial borrara de pronto el contenido «Suiza» de todas las mentes humanas, suizos y no suizos, sin dejar huella ni conexión que permitiera recordarlo, al instante esa realidad que es Suiza se nos habría volatilizado, mientras que el mundo de los objetos materiales permanecería sin sufrir la más insignificante alteración.

No pretende sugerirse con esto, ni mucho menos, que se trate de una realidad fantasmagórica, de una suerte de quimera, de un capricho de la fantasía que podamos concitar y despedir a voluntad. En la práctica, nuestra existencia se encuentra tan entretejida en la trama de esas realidades, que muy difícilmente conseguiríamos, de vez en cuando y hasta un cierto punto, sustraernos a su fuerza preceptiva, levantar cabeza y desafiarlas. Pues claro está que, fuera de su marco, no alcanzaría a vivir una vida humana aquel a quien, no en vano, Aristóteles definió como *zoon politikon*.

Conviene recordar, por lo pronto, que el edificio de la sociedad se compone de estructuras fundadas sobre los cimientos biológicos del hombre, y que, siendo así, las conductas que le prescribe siguen la línea aproximada de los instintos o impulsos naturales, y los corroboran, aunque, al instrumentarlos, les impongan desviaciones que a veces aparecen como su directa, expresa y dramática contradicción, según ocurre cuando —por ejemplo— se abstiene uno de apoderarse del bien ajeno, sea porque considere injusto privar de lo suyo al prójimo, sea por temor a la policía; o cuando, teniendo al alcance de la mano los alimentos apetecidos, prescinde de ingerirlos en atención a un precepto de ayuno religioso o, sencillamente, porque no termina de irse una visita importuna y hay que guardar las formas.

Estas formas que deben guardarse son las de los objetos sociales; aquellas que reconocemos en nuestro fuero interno, y cuya validez solemos acatar, adaptando nuestra conducta a sus prescripciones. Que tal reconocimiento y tal acatamiento se produzcan como mero resultado de un juicio racional es cosa que a nadie se le ocurriría: demasiado sabemos a la fecha en qué estrechos márgenes opera la razón; y si existen determinadas estructuras sociales a las que se ingresa o de las que se sale por un movimiento libre del ánimo (el club donde uno se inscribe o se da de baja por razones bien calculadas, la sociedad comercial de la que se entra a formar parte para un fin previsto y claro), la mayor parte de ellas arraigan en estratos más profundos de nuestra personalidad psíquica; y poco tendrá que ver con ninguna clase de lucubraciones intelectuales nuestra decisión de observar la vigilia, de exponer la vida por la patria, por el honor, o bien la solidaridad ciega que nos une a nuestra familia.

De la familia, precisamente, se ha afirmado que pertenece al orden de unas supuestas sociedades *naturales* por estar basada en el hecho biológico de la reproducción de la especie y agrupar a los individuos en función de ella. Sin embargo, partiendo de ese hecho básico, el hombre —a diferencia de los demás animales, cuyo respectivo modo de agrupación familiar parece específicamente fijado— ha elaborado también aquí sus impulsos instintivos hacia formas culturales, de modo que esa entidad social a la que denominamos familia ha variado tanto en el curso de la historia, de unos a otros pueblos, de unas épocas a otras, que más de una vez podría dudarse acerca de la identidad de institución tan diversa designada bajo un mismo nombre. Sin salirnos del tipo romano de organización familiar al que la nuestra pertenece todavía, ¡cuánto no ha cambiado en su composición, en su tamaño, en sus principios, en sus pautas, desde lo que conoció nuestra infancia hasta lo que vemos generalizarse alrededor nuestro! Tanto, que ese rapidísimo cambio, con el frecuente resultado de situaciones domésticas inestables e indefinidas, plantea a la generación actual el problema de una juventud crecida en radical inseguridad acerca de las normas válidas... Pero esta es una cuestión aparte, que nos alejaría del tema. A él concierne tan sólo señalar que el cuadro doméstico, con la correspondiente atribución de papeles sociales dentro de la familia, y la posición de la familia dentro de la sociedad general, es lo que infunde en sus nuevos miembros las nociones cardinales a través de las cuales interpretarán el mundo. Porque cada nuevo ser humano que nace (y nace, claro está, tan desnudo de cuerpo y de alma como cualquier otro animal) se encuentra al nacer *situado* ya dentro del campo de la Historia: en el seno de una familia concreta, o tal vez al margen del orden institucional, y de todas maneras en el centro de un nexo de valores comúnmente aceptados, cuya atmósfera respirará desde el primer instante.

Esa situación primaria que le es dada como circunstancia al hombre en la hora de su nacimiento (y en la que están incluidas todas las demás circunstancias con que deberá contar en su vida: raza, sexo, constitución física, época y país, etcétera) le ofrece los supuestos de realidad indispensables para el ejercicio de su libre arbitrio. Pues nadie podría prescindir impunemente de las limitaciones que sus propias circunstancias le imponen. Para superarlas, es decir, para modificarlas y tornar, acaso, en favorables las que se le presentaban como adversas, tendrá que apoyarse en ellas, usándolas a manera de trampolín. Ignorarlas, en cambio, equivaldría a perderse por los senderos de la locura. Pues, ¡cierto!, hay que vivir en el mundo. El se encarga de corregir nuestros extravíos, de ponernos en nuestro lugar; y conocidas son las duras lecciones de su escuela... En suma, se necesita aprender a vivir; dígalo, si no, el Segismundo de *La vida es sueño*. Y será la acción difusa del cuerpo social —esa famosa escuela del mundo— quien se encargue de enseñárnoslo, con el complemento de cualesquiera otros aprendizajes especiales, deliberados y sistemáticos, recibidos en las escuelas propiamente dichas. Tomado en el conjunto de sus instancias, el proceso educativo (que, como bien se afirma, empieza con el alumbramiento de un nuevo ser) consiste en hacerle asumir al educando, desde su particular posición, las pautas culturales vigentes alrededor suyo. De ahí que se estime «bien educada» a la persona que sabe cómo debe comportarse en las distintas emergencias de la vida, o sea aquella que, hallándose adaptada a su papel social, responde en su conducta a lo que la colectividad prescribe para un individuo de su sexo, edad y condición; o, dicho todavía de otro modo, quien sabe guardar las formas.

En cuanto a tales expectativas o exigencias sociales, inútil es señalarlo: no sólo difieren de un caso para otro, sino que también cambian con tiempos y lugares, de modo que ahora parecerá ridículo y afectado lo que antes lucía como delicado o decoroso; rudo, lo que se tenía por admisible; en unos resultará intolerable lo que gracioso en otros; impropio de un sexo, escandaloso, lo que en el contexto de otras costumbres se contempla con indiferencia o aplauso... ¿Y quién duda de que tales variaciones sean obra de la libre voluntad humana? De la libertad tuya, y de la mía, y la de cada cual. Ahora, que ¡en qué infinitesimal proporción podemos cada uno de nosotros, individualmente, modificar la estructura, alterar las pautas de la sociedad de la que nos ha tocado en suerte ser miembros! Estamos inmersos en ella *ab ovo,* sumergidos y —pudiéramos decir con imagen particularmente adecuada— metidos hasta el cuello. De esta manera, nos debatimos ahí con las circunstancias que nos rodean y oprimen, pero cuya resistencia consiente cierta eficacia a nuestros esfuerzos. El forcejeo de toda nuestra existencia sólo consigue, por lo común, aportar cambios de alcance grotescamente minúsculo al panorama de la sociedad, de los que apenas podemos siquiera darnos cuenta, o que tal vez se nos revelan como imprevistos o indeseables, porque son el resultado —al que hemos contribuido sin preverlo— de acciones múltiples y muy diversas, quizá contradictorias, pugnaces. Pero, en ocasiones, también la voluntad de un determinado individuo se muestra capaz de producir —a favor de coyunturas muy favorables, únicas— las transformaciones más espectaculares, tanto en su propia posición como en el aspecto de la realidad social: son los héroes de la Historia, a quienes no sin motivo se les ha reprochado el no saber guardar las formas (¡la proverbial mala educación del genio!). Un joven teniente corso va a poner en jaque a las monarquías europeas y, convertido en emperador de los franceses, admirará y aterrorizará al mundo, cambiará su fisonomía. (A favor de coyunturas únicas, se entiende; sus secuaces ficticios, un Julien Sorel, un Raskolnikof, caerán más tarde en el crimen; y un cuento de cierto autor inglés nos presenta a un coronel retirado, de nombre Napoleón Bonaparte, paseando su tedio por la Costa Azul: había tenido la inoportunidad de nacer fuera de sazón.)

Pero, aparte de esos casos excepcionales, cuyas hazañas, por lo demás, se encargará el tiempo de mostrar que no habían alterado tan a fondo las condiciones de la realidad histórica como acaso en un principio pudo creerse, son en general tremendas las resistencias que dicha realidad opone a nuestro albedrío; y tanto más eficaces cuanto que, por su mayor parte, se encuentran asumidas, interiorizadas en nuestra conciencia. No otra es la razón de que con tanta frecuencia los héroes de la Historia sean sujetos marginales y, por ello, menos respetuosos de los valores tradicionales, menos inhibidos; de que resulten ser, de un modo u otro, el oficial corso en los ejércitos del rey de Francia. Pues, a base de un carácter individual que arraiga en los estratos biológicos, la personalidad de cada ser humano está moldeada por aquellas estructuras sociales dentro de las cuales se ha formado y continúa desplegándose su vida. Miembro de tal familia, vecino de tal ciudad o pueblo, feligrés de tal iglesia, súbdito de tal Estado, militante de tal partido político, afiliado a tal club recreativo, etc., las diversas entidades o cuadros sociales a que pertenece —y son numerosísimos, intrincados los unos con los otros: comunidad idiomática, nación, clase social, acaso grupo racial diferenciado, quizás una secta perseguida— con vigor variable y en no menos variables combinaciones, todas estas estructuras marcan sobre nosotros su sello distintivo de modo que resultaría ilusorio pretendernos independientes frente a ellas. Lo somos, sí, pero sólo en alguna medida, y en medida por cierto bastante escasa. Nos presionan desde fuera, vigilan nuestra conducta para juzgarnos con los ojos del prójimo; pero, sobre todo, nos presionan desde dentro de nosotros mismos, alojadas en nuestra conciencia, como en nuestro cuerpo pueden estarlo esas insidiosas infecciones cuya oculta presencia delata quizás el tinte de nuestra piel o el brillo de nuestra mirada.

Así, la mentalidad, si este nombre podemos darle, revela —cualquiera sea el particular carácter de cada individuo— las formas sociales en que se ha criado, lo que se llama su *formación*. Una persona educada, por ejemplo, en el catolicismo, mantenga o no su fe y su fidelidad a la Iglesia, y aun cuando apostate, tendrá siempre un algo —una mentalidad, pues— que la hará distinta de otra persona, análoga o parecida en todo lo demás, incluso en el carácter individual, pero educada en el protestantismo o en el judaísmo; y si dicho católico es español, diferirá a su vez, por virtud de su nacionalidad, de un católico italiano, de uno alemán; y si, siendo español, es catalán, de otro castellano, o andaluz, o gallego; y si es un campesino, de un hombre de ciudad en su misma región; y así sucesivamente. Las estructuras sociales a que cada concreto individuo pertenece no sólo son muy diversas, sino que se combinan entre sí con una variedad casi inagotable y de manera potencialmente conflictiva, que da lugar a veces a verdaderos y terribles casos de conciencia. Pensemos, por ejemplo, en la situación de un morisco español en el siglo XVI, de un hugonote francés al abolirse el edicto de Nantes; en la de un pacifista movilizado por su gobierno para una guerra de agresión; en la de un comunista que descubre la «traición al partido» perpetrada por su propio hermano, por su padre... Sin llegar a estas agudas colisiones de valores asumidos, es obvio que la actitud hacia la nación, digamos en los Estados Unidos, no será la misma por parte de un negro de Alabama, de un bostoniano tradicionalista, de un puertorriqueño, del hijo de un inmigrante judío o de un italiano, ciudadanos todos ellos; o la actitud hacia el Estado, en el fenecido Imperio austro-húngaro, por parte de un súbdito croata, de otro checo o de un tirolés; como es distinta la actitud frente a la Iglesia Católica de un clérigo, de un converso (¿y qué decir acerca de la posible variedad de motivos de la tal conversión?) o de un mero y tibio practicante del montón, que va a misa por acompañar a su cónyuge. En fin, no parece necesario insistir sobre ello: las estructuras sociales diversas que forman cada constelación individual actúan con vigor o débilmente, se aceptan con adhesión fervorosa o son soportadas como una carga, según las circunstancias individuales; mientras que, por otro lado, decimos de dicha constelación que es individual por cuanto constituye la personalidad social peculiarísima de cada sujeto, organizada desde su perspectiva única.

A base de lo expuesto, de lo apuntado o de lo apenas sugerido, pues el tema es por demás vasto, podemos permitirnos afirmar ahora lo que resulta obvio: que la nación no es, ni más ni menos, sino uno de tantos otros círculos o estructuras de vida colectiva en que cada individuo inserta, o puede insertar, la personal suya; mucho más amplio, desde luego, que la familia o el municipio, pero de más corto radio, por lo general, que la comunidad idiomática o que la religiosa.

Sin embargo, estamos acostumbrados —aun cuando de hecho la relación del particular con su nación sea análoga a la que mantiene con su iglesia, con su municipio o con su familia— a distinguirla de entre todas las demás formaciones comunitarias, cual si en ella se diera algo de más definitivo, por cuya virtud reclamara de nosotros una lealtad en cierta manera más perentoria, imperiosa y compulsiva. Entrar en conflicto, por violento que éste sea, con la propia familia, abjurar de la religión y cambiar de iglesia no son actos que escandalicen a la conciencia moderna en medida comparable a lo que se califica de traición a la patria; y este concepto de patria, que todavía en el siglo XVI, en el XVII, aludía vagamente a la ciudad natal o al país, equivale en nuestro actual lenguaje al de nación. A decir verdad, en el siglo XVI, en el XVII, no se había aún constituido, sino que empezaba a esbozarse, esta estructura de vida colectiva —la nación— tan destacada después; estaba ya cociéndose por entonces en la cazuela de la monarquía absoluta, pero sólo en el siglo XIX, tras la Revolución francesa y la hazaña napoleónica, se habrá sazonado el guiso. Será ahora cuando el Duque de Rivas, en pleno Romanticismo, marque en indignado romance el contraste entre la lealtad castellana y la felonía del condestable de Borbón, el *que a su patria vendió,* con notorio anacronismo. Tal hubiera podido denostar a Andrea Doria y, por qué no, al famoso navegante genovés cuya gesta celebraba en otro de sus romances. Pero no hemos de echarle al poeta demasiado en cara que, al encarar por su parte la historia, aplicara las categorías válidas en su tiempo para juzgar situaciones de una época en la que, bajo el principio de la lealtad feudal fundada en un pacto revocable, se insinuaba ya el de la lealtad incondicionada a un monarca absoluto cuya figura soberana, previas un par de ejecuciones capitales, habría de ser suplantada más adelante por la soberanía nacional. Nosotros, en cambio, hoy, después de haber pasado por la «lucha de clases», por las «quintas columnas» y «caballos de Troya», y desde un mundo político donde las lealtades fundamentales se dividen entre dos grandes centros de poder, y todo lo demás viene a importar menos, empezamos a percatarnos de que la nación, cuyo nombre y bandera inflamaba los corazones y anegaba de lágrimas los ojos de nuestros abuelos, es desde luego, y sigue siendo, un factor muy importante en nuestra vida, pero no más exigente que cualquier otra de las estructuras comunitarias a que pertenecemos, ni digna de más enfáticos sentimientos que la familia o el municipio o la iglesia.

A la fecha, disipada la exaltación de los patriotismos nacionales, lo que puede sorprendernos es la fugacidad de su prevalecimiento histórico: ciento cincuenta años apenas, frente a los tres siglos precedentes de lealtad monárquica...

LA ESPAÑA DE LA CONTRARREFORMA

El nacionalismo fue, en efecto, la ideología política vigente durante el siglo XIX; y a la sensibilidad romántica que a ella corresponde se debe la imagen de España que desde entonces hasta el día de hoy ha prevalecido en el mundo. Según quedó ya expuesto en páginas anteriores, esta imagen proviene, en lo fundamental e inicialmente, de la interpretación hecha por el Romanticismo, a base de nuestro teatro clásico, de la realidad española de los Siglos de Oro. Resulta ser ésta una realidad singular y extraña; es la España de la Contrarreforma, cuyo contraste de luces y sombras podía excitar la fantasía poética de un Schiller; es, en definitiva, la España que, frente a la Reforma protestante, se encerraría cada vez más en sí misma de espaldas a Europa, y que todavía anteayer, en la ambigua actitud del 98, clamaría por boca de Unamuno: «*¡Que inventen ellos!*».

El rey de España y emperador de Alemania, Carlos V, había procurado hacer frente a la Reforma, y agotó todos sus esfuerzos en el frustrado empeño de lograr la conciliación entre los cristianos. Su reinado estuvo presidido por una actitud religiosa abierta, inspirada en las doctrinas de Erasmo de Rotterdam. Su Secretario de Cartas latinas (lo que hoy llamaríamos Secretario de Estado para las Relaciones Exteriores), Alfonso de Valdés, era un erasmista eminente, que justificó ante las cancillerías extranjeras el saqueo de Roma por las fuerzas imperiales y escribió luego con el mismo argumento el *Diálogo* famoso *de Mercurio y Carón*. En el ambiente cortesano y en los círculos dominantes de la Iglesia, el pensamiento de Erasmo prevalecía entonces netamente. Pero cuando todos los esfuerzos para impedir la ruptura de la fe católica hubieron fracasado, el emperador decidió abdicar la corona de España en su heredero Felipe II, quien por su parte adoptaría la política de cerrar este país frente al mundo aplicando con rigor dentro de sus dominios los principios de la Contrarreforma establecidos por el Concilio de Trento. Los erasmistas españoles fueron perseguidos con implacable saña, y ahora las riendas de la Iglesia y del Estado, muy compenetrados entre sí y hasta fundidos, cayeron en manos de hombres de marcada tendencia reaccionaria.

Esta nueva política representa un tremendo viraje, e inaugura la fase histórica en que España, vuelta sobre sí misma, va a quedar segregada espiritualmente de Europa, y no sólo de los países protestantes, sino también de los católicos cuya práctica de la Contrarreforma no era tan celosa, extremada e intransigente. Instrumento principal de ella fue el Santo Oficio de la Inquisición que, estrechamente asociado aquí al poder estatal, funcionaría en defensa de la ortodoxia imponiendo un control minucioso sobre todas las actividades intelectuales para extirpar cualquier desviación, y de modo muy especial las recaídas en el judaísmo, frecuentes entre la gran multitud de personas que, a raíz de la expulsión decretada por los Reyes Católicos, se habían visto obligadas a convertirse sin verdadera convicción a la doctrina cristiana. La prevención y sospecha contra los cristianos nuevos, estimulada por algún escándalo como el promovido al descubrirse que en un convento de jerónimos se practicaban secretamente los ritos de la religión judía, dio lugar a que se introdujera y fuera extendiéndose cada vez más el requisito de pureza de sangre hasta ser exigido a la postre para todos los cargos y dignidades de cierta relevancia social, por mínima que fuese, dándose lugar con ello a numerosas situaciones falsas basadas en la corrupción y el engaño, fuente de terribles tensiones y de una generalizada *mala conciencia* que haría de aquélla una sociedad radicalmente insana, atenazada por las contradicciones internas.

El propósito de mantener los postulados universalistas del catolicismo dentro de un ámbito geográfico limitado, por extenso que fuese, es ya en principio —como bien puede comprenderse— contradictorio en sí mismo, pues claro está que lo universal no cabe en términos acotados; y a ese intento cabe atribuir la congelación cultural del país. En efecto, la espléndida floración artística de los Siglos de Oro en España puede ser, y ha sido, interpretada como eclosión de unas energías espirituales constreñidas, que encuentran su modo de descargarse en la única vía transitable por entonces, al hallarse vedada e inhibida la actividad intelectual espontánea, que las autoridades consideraban peligrosa por principio (y que lo era de modo demasiado efectivo para quien se arriesgase a ejercitarla), cuando en el resto de Europa se desenvolvía dicha actividad con menos rigurosas trabas, dando impulso al desarrollo de la modernidad. España quedaba con esto separada del resto del Occidente, y mantenía encerrada en sus fronteras a una población agarrotada en tensiones casi insufribles.

Este obstinado aislamiento y extrañamiento creciente de nuestro país —un país todavía en el colmo de su poderío— explica, entre otras cosas, el curioso fenómeno de la leyenda negra que, a base de hechos similares a los que registra la historia de todos los demás pueblos, produce una descalificación total de España y de lo español;

y explica asimismo la tremenda, patética incapacidad de los gobernantes que regían sus destinos. Pues mientras Europa se organizaba en Estados nacionales contrapuestos en pugnas cada vez más decididas, bajo una ideología política de pura eficacia práctica según la teoría formulada por Maquiavelo en su tratado de *El príncipe,* España pretendía inspirar su acción en una *política de Dios y gobierno de Cristo* según se expresaba en su copiosa literatura antimaquiavelista, política moralizada que de hecho resultaba impracticable, contribuyendo así también a crear *mala conciencia.*

La subsiguiente historia marca la declinación lenta del Imperio español, que a partir del Tratado de Utrecht habrá dejado de ser gran potencia mundial. Durante el siglo XVIII, a cuyo comienzo, extinguida la dinastía de Habsburgo, se establece en el trono de España la dinastía francesa de Borbón, un gobierno progresista practicará la política del llamado *despotismo ilustrado,* que secundan las clases altas, pero que no consigue movilizar al pueblo, dormido en la tradición católica. Las costumbres *afrancesadas* de la alta sociedad no penetran en las capas bajas de la población. A fines del siglo, la Revolución francesa, asustando a las autoridades españolas, produce una reacción en las esferas gobernantes, tras de la cual vendrá la crisis desencadenada por la invasión francesa.

La historia de España a lo largo del siglo XIX es, durante sus dos primeros tercios, la historia de la confrontación entre unas minorías cultas imbuidas de las ideas europeas *modernas*, que ya habían procurado instaurar el liberalismo proclamando el principio de soberanía nacional en las Cortes de Cádiz con la Constitución de 1812, y los grupos y masas tradicionalistas, opuestos a la modernidad. Con la Restauración de la monarquía tras las agotadoras luchas sangrientas de las décadas precedentes, la Constitución de 1876 viene a abrir un período de paz y templado liberalismo, durante el cual se especulará acerca de la decadencia española; y en las reflexiones sobre el destino de la patria surgirá la idea de las dos Españas, idea que para los tradicionalistas, que niegan legitimidad a la modernización del país, será formulada bajo el esquema de un contraste entre la España pretendida auténtica, y una supuesta, denostada anti-España.

Para que mis estudiantes pudieran conocer este proceso histórico les proporcioné una lista de libros fundamentales que, si no alcanzaron a leer sobre la marcha, podrán servirles acaso para completar después las nociones que hayan sacado del curso. Además, les recomendé una obra que acababa de ver la luz pública en España, facilitándoles copia del comentario que en mí mismo había suscitado, y que a continuación reproduzco.

Un proyecto vital anacrónico (Entender a España)

Cuando se publica un libro de importancia tan grande como el que Julián Marías ha publicado bajo el título de *España inteligible* creo que —además de ser un placer— es obligación de cuantos nos preocupamos por las cuestiones ahí examinadas la de prestarle cuidadosa atención y leerlo con un lápiz en la mano para anotar al margen cuantas observaciones suscite. Muchas de esas anotaciones han sido, en mi caso personal, expresión de anuencia y reconocimiento; otras, como no podía dejar de ocurrir en asunto tan amplio y tan complejo como el que sus páginas abordan, de perplejidad y duda; y algunas, de neto disentimiento. La obra merece sin duda una discusión a fondo, y —aunque no es propósito mío entrar en ésta— deseo que, para bien de la salud mental de los españoles en la actual fase crítica, tan prometedora, de nuestra vida colectiva, el libro sea sometido a puntual escrutinio. Dicho esto, no hará falta más para que quede afirmada y remachada mi opinión acerca de la importancia intrínseca, así como de la infalible oportunidad de la obra. Sobre esta base han de entenderse las reflexiones despertadas en mí por varios de sus pasajes a lo largo de la lectura.

Julián Marías es, no sólo un escritor de mente filosófica, sino filósofo profesional. Su tratamiento del «problema de España» o de «la realidad histórica de España» (y me valgo aquí de dos de las fórmulas más popularizadas con que en el pasado reciente se ha discurrido acerca del tema de la supuesta peculiaridad irreductible de «lo español», peculiaridad a la que en cierto modo indirecto alude también el título de este nuevo libro cuando enuncia la pretensión de hacer *inteligible* a España) es un tratamiento que el autor ha querido encuadrar dentro de rigurosas categorías del conocimiento histórico.

Una de esas categorías, quizá la más importante, es la orteguiana de *proyecto histórico*. Resulta evidente que el autor atribuye valor positivo a lo que por *proyecto histórico* entiende, y ello con toda razón; pues no hay duda de que un tal proyecto es esencial para las comunidades humanas: sin él la vida colectiva caería en el marasmo, caminando hacia la desintegración. Pero ¿es que todo proyecto histórico merece, por el mero hecho de existir, una valoración positiva incondicional? ¿No puede haber acaso proyectos históricos de efectos nocivos? Tal vez convendría plantearse la cuestión de si la pretendida peculiaridad de España no tendrá sus raíces en el hecho de haber adoptado un proyecto histórico anacrónico, como era el de la Contrarreforma tal cual fue asumida y entendida por el Estado español, cuando, tras el retiro del Emperador, fracasado en sus intentos conciliadores, se desencadenó una brutal reacción contra el erasmismo que había sido inspiración política suya. Consistía este nuevo proyecto —la Contrarreforma a modo hispánico— nada menos que en mantener el universalismo católico, ahora dentro de un espacio cerrado —esto es, dentro de los límites de la Monarquía española y mediante los recursos de su poder—, designio contradictorio por principio, y absurdo como programa en una Europa que era ya —y seguiría siéndolo todavía por varios siglos— el palenque de la pugna de naciones rivales: los cuerpos políticos de nuevo cuño cuyo dechado fuera por cierto la España integrada mediante el matrimonio de los Reyes Católicos, y cuyo código general de conducta estaba condensado en las máximas de *El príncipe* de Maquiavelo, quien —extrapolando de la Etica ciertas técnicas de la Política aristotélica— había hallado modelo para su tratadito precisamente en la figura del rey Fernando.

De acuerdo con los supuestos del proyecto integrista de que partía esa Contrarreforma entendida «a la española», se desarrollaría en este país una copiosa literatura antimaquiavelista, que no sólo vitupera la perversidad moral propugnada por el escritor florentino, sino que ataca también a «los políticos de este tiempo», en particular a quien había acuñado el concepto de soberanía, Jean Bodin, condenándolos en virtud de principios cuya pureza evangélica resultaba en verdad muy poco compatible con las prácticas de acción política entonces vigentes. Como bien hubiera podido esperarse, y por más que la literatura antimaquiavelista así lo predicara, la monarquía española no aplicaba ni podía aplicar en el ejercicio de su actividad internacional ninguna «política de Dios», ningún «gobierno de Cristo» que valiera, sino la «razón de Estado», ni más ni menos que sus rivales, Inglaterra y Francia; pero es claro que esta contradicción entre la doctrina oficialmente sostenida y las ineludibles exigencias prácticas no podía dejar de tener un efecto desmoralizador —en todas las acepciones de la palabra— sobre el ánimo de los gobernantes, creando una generalizada mala conciencia de consecuencias paralizadoras.

Tal paralización se irá extendiendo cada vez más al conjunto del cuerpo social. Julián Marías cita frases reveladoras de Fénelon, para quien, terminado el siglo XVII, España —peso de un cuerpo muerto— es país impotente, que ha perdido toda capacidad de decisión. En aquella Europa que se mueve y avanza con fuerte pulso, vemos cómo nuestro país se ha cerrado en cambio a la modernidad. Nuestra literatura del Siglo de Oro está plagada de lamentaciones y deprecaciones a causa del oro que, procedente de América, se le escapaba a España de entre las manos por diversas vías. Muchos galeones eran robados ya en ruta por los piratas ingleses; los buhoneros franceses se lo cambiaban al español por baratijas, tal como los primeros españoles habían engañado al inocente indio; y en punto a cambiar, ahí estaban los genoveses para completar el despojo con sus malas artes financieras. Y ¿qué significan todas estas quejas?

Por lo pronto, es evidente que suponen una reacción de encogido rechazo frente a las formas modernas —es decir, burguesas— de entender y manejar la economía, muy en consonancia con el medievalismo del proyecto histórico que la Contrarreforma española supone. El desprecio nobiliario de las industrias lucrativas, transferido desde el orgullo estamental de la Edad media, cuando el trabajo estimado era sólo el batallar, hasta una España sustentada en sus ilusiones de grandiosidad por el espejismo de los metales preciosos que la conquista permitía extraer de ultramar, parece ser la actitud dominante en aquella sociedad de grandes señores manirrotos, de pobres hidalgos ociosos y de pícaros hampones que la literatura misma refleja. En el libro de Marías, tan meritorio por muchos conceptos, echo de menos algunos análisis económicos que vinieran a explicar, mediante el examen de las estructuras sociales correspondientes, la mentalidad inmovilista sobre que el proyecto de la Contrarreforma española se asentaba.

Pero lo que aquí me interesa subrayar ahora no es tanto la traba que para la eficacia práctica pueda haber implicado la desconexión radical entre los principios teóricos que inspiraban el proyecto histórico y las perentorias urgencias de la concreta realidad, como el hecho de que la fiel adscripción de los españoles a una actitud vital colectiva incompatible, por arcaizante, con esa concreta realidad actual, tenía que producir una sensación de profunda extrañeza a quienes desde fuera la observaran. Los extranjeros debían de ver al español como un tipo extravagante, como un bicho raro. Pienso que, mediante su peculiar versión de la Contrarreforma, España se había vuelto de espaldas a Europa; y que si a los escritores antimaquiavelistas no les faltaban motivos para mover la cabeza ante las «locuras de Europa», Europa por su parte debía de contemplar a España como una nación enajenada.

Uno de los problemas históricos que en su libro preocupan y mistifican a Julián Marías es el de la increíble persistencia de la *leyenda negra,* contra la que denodadamente y con toda razón argumenta, aunque, desde luego, no suscribiría yo, como él suscribe, a la *destruyción* del Padre Las Casas intentada bastante a deshora por Menéndez Pidal, presentando como una especie de irresponsable demente al hombre que, de hecho, supo persuadir al Emperador y promover su admirable legislación de Indias. Pero en esto sí que está en lo cierto Marías: lo asombroso es, con todo, la tenaz perduración, siglo tras siglo, de esa leyenda negra que repite hasta la náusea un estereotipo sin mayor base efectiva que el que pudiera confeccionarse con sólo echar mano a cualquier otro catálogo de atrocidades espigado en la Historia Universal, desde las crónicas más añejas hasta las noticias que cada día nos pone la televisión ante los ojos.

La hostilidad —mezcla de admiración envidiosa y de resentimiento— que siempre despierta toda gran potencia, y que por supuesto suscitó en su momento la presencia dominadora de España en el mundo, bastaría para explicar en principio la leyenda negra; pero no explica sus exageradísimos términos, ni mucho menos la que con acierto describe Marías como «descalificación *global*» de lo español, aunque sin acertar a encontrarle explicación, bien que no se le escape a él la extrañeza a que, fuera de nuestro país, daba ocasión el *proyecto histórico* de la Monarquía española, cuya política —dice— «no va a ser comprendida por el resto de los países europeos»; añadiendo: «Todo lo que constituye la originalidad histórica y política de España queda fuera de la visión que los demás europeos, aun los más eminentes, tienen de ella en el siglo XVII. En el XVIII las cosas serán todavía peores, quiero decir más remotas de la realidad.» Pero, con todo, no reconoce que esta pretendida realidad original nuestra nada tenía que ver con la realidad efectiva del mundo contemporáneo, sino que era más bien una realidad quimérica, un empeño de vivir de espaldas a la historia, negándola. (Salvadas todas las diferencias, que no son pocas, me atrevería sin embargo a señalar una relativa similitud con el caso presente de la Unión Soviética, encorsetada como está dentro de una dogmática ultraconservadora, y tan difícil de ser entendida por el resto de las gentes.)

Muchos españoles, entre tanto —aquellos que en principio eran irreductibles al proyecto histórico de la Contrarreforma y por consiguiente fueron segregados o aplastados en sus comienzos, y quienes en generaciones sucesivas disentían de él y aspiraban a que nuestro país se colocara al par de Europa (muy notablemente las altas clases ilustradas del siglo XVIII) establecerían una corriente ininterrumpida, sólo muy rara vez y en precario elevada a posiciones de poder oficial, y con mucha frecuencia oprimida, perseguida y vilipendiada, a la que por último se le colgaría el mote vejatorio de anti-España. Tras el desmoronamiento del Antiguo Régimen, la historia española, en la Península y en América, ha sido hasta ahora la historia de la pugna entre partidarios de la modernización y los fieles mantenedores de una inmovilidad arcaizante. Esperemos que esa penosa historia se haya clausurado por fin con el siglo que termina.

EL PUNTO DE HONOR CASTELLANO

«Como si no supiéramos que la honra es hija de la virtud, y tanto que uno fuere virtuoso será honrado, y será imposible quitarme la honra si no me quitaran la virtud, que es centro della. Sólo podrá la mujer propio quitármela, conforme a la opinión de España, quitándosela a sí misma; porque siendo una cosa conmigo, mi honra y suya son una y no dos, como es una misma carne; que lo más es burla, invención y sueño», se lee en el *Guzmán de Alfarache,* parte I, libro II, capítulo II, «Conforme a la opinión de España…» Mateo Alemán, que por razones de familia conocía a fondo la diferencia entre ciertas pautas culturales vigentes en la sociedad española y las actitudes valorativas que, frente a situaciones análogas, prevalecían en otros países, se muestra ahí, no ya reticente, sino sumamente crítico frente al concepto del honor «castellano». Acepta, sí, la justificación teológica de que la infidelidad de «la mujer propia» deshonre al marido: el sacramento del matrimonio ha hecho de ambos «una misma carne»; pero no deja de advertir que eso es conforme a la opinión de España. Y en cuanto al resto, sólo es *burla, invención y sueño*. La virtud sería lo único que importa.

Desde luego, esta posición —que pudiéramos caracterizar como «cristiana» y que tan congruente resulta con el ascético *contemptum mundi* del autor del *Guzmán*— dista mucho de ser excepcional. Recuérdense, para no aducir cualquier otro de los muchos textos a mano donde Cervantes discute la cuestión con tanta prolijidad, los argumentos aducidos por su Periandro en *Persiles y Sigismunda* para persuadir al polaco Ortel Banadre de que perdone a la esposa adúltera o, al menos, desista de castigarla: «¿Qué pensáis que os sucederá cuando la Justicia os entregue a vuestros enemigos, atados y rendidos, encima de un teatro público, a la vista de infinitas gentes, y a vos blandiendo el cuchillo encima del cadalso, amenazando el segarles las gargantas, como si pudiera su sangre limpiar, como vos decís, vuestra honra? ¿Qué os puede suceder, como digo, sino hacer más público vuestro agravio?... —Así que, señor, volved en vos y, dando lugar a la misericordia, no corráis tras la Justicia. Y no os aconsejo por esto que perdonéis a vuestra mujer para volverla a vuestra casa... —La ley del repudio fue muy usada entre los romanos, y puesto que sería mayor caridad perdonarla, recogerla, sufrirla y aconsejarla, es menester tomar el pulso a la paciencia... —Y, finalmente, quiero que consideréis que vais a hacer un pecado mortal en quitarles las vidas, que no se ha de cometer por todas las ganancias que la honra del mundo ofrezca.»

Análoga preocupación por evitar que se propale la deshonra se advierte en el teatro calderoniano; pero ahí la conducta está regida por una máxima opuesta, cuyo más sucinto enunciado se encuentra en el título del drama *A secreto agravio, secreta venganza.* Razona su protagonista, Don Lope:

> «Porque dijo la venganza
> lo que la ofensa no dijo.»
> Luego si me vengo yo
> de aquella que me ofendió,
> la publico: claro está
> que la venganza dirá
> lo que la desdicha no.
> ....
> Pues tal mi venganza sea,
> obrando discreto y sabio,
> que apenas el sol la vea.

También el protagonista de *El médico de su honra* piensa:

> Mas no es bien que lo publique;
> porque si sé que el secreto

altas victorias consigue
y que agravio que es oculto
oculta venganza pide,
muera Mencía de suerte
que ninguno lo imagine.

Don Gutierre, como Don Lope, a diferencia del polaco Banadre (o del extremeño Carrizales, anciano y moribundo), consuma el castigo con rigor implacable. Sólo para salvar la opinión —es decir, un valor social— prescribirá *el médico de su honra* a la esposa que supone infiel mortal sangría. Pero este sacrificio lo es, no sólo para la víctima, sino también, al mismo tiempo, para el victimario. El caso de Don Gutierre nos resulta revelador en alto grado. Va a consumar en aras de su honor dos crímenes en los que todas las agravantes concurren, asesinando a su esposa y, en seguida (aunque este último asesinato se frustre), al forzado ejecuctor de su sentencia, bajo condiciones de premeditación, nocturnidad y alevosía. Pero, al hacerlo, violenta atrozmente sus propios sentimientos. Apenas la resolución adoptada, a raíz de los recién citados versos, exclama:

Pero antes que llegue a esto
la vida el cielo me quite...

y pide que lo fulmine un rayo:

¿No hay, claros cielos, decidme,
para un desdichado muerte?
¿No hay un rayo para un triste?

Por fin, cuando se apronta a la acción, lo hace con este lamento:

¿Quién vio en tantos enojos
matar las manos y llorar los ojos?

¡Matar las manos y llorar los ojos! He aquí algo de la congoja de Abraham obedeciendo el cruel mandato de un Dios inescrutable. Sin duda, el concepto del honor que, con tremenda compulsividad social, prevalecía en España durante el siglo XVII, ponía a los españoles en condiciones de tensión insufrible; era, como por entonces se decía, un verdadero «torcedor».

Pero, por otra parte, ese singularísimo concepto cuyas exigencias extremas daban ocasión a tanta angustia, distaba mucho de hallarse expresado mediante fórmulas claras e inequívocas. Ni siquiera en un mismo autor, y menos que en otros en este cuyo nombre califica al honor «calderoniano», puede hallarse un criterio firme, algo así como un código coherente. Si su Don Gutierre tuvo que hacer de tripas corazón para acomodarse a la pauta social, es famosa, en cambio, la declaración, en *El alcalde de Zalamea,* según la cual *el honor es patrimonio del alma, / y el alma sólo es de Dios,* que —aun cuando no resueltamente— parece apuntar en el sentido de la equiparación cristiana entre honor y virtud, y que, en todo caso, lo desvincula de la opinión (por la que, sin embargo, hay que dar la vida, propia o ajena), al situarlo fuera del campo de las valoraciones sociales. Si el honor pertenece al alma, sobre quien sólo Dios, no el rey, tiene jurisdicción, entonces el único juez en materia de honra lo sería el sujeto mismo. La sociedad cuyo edificio entero está fundado sobre el monarca queda excluida; y esto, como digo, se encuentra en contradicción abierta, no ya con el punto de vista, muchas veces afirmado de manera explícita en la literatura de la época, según el cual tiene potestad el rey (representante de Dios, por lo demás; no lo olvidemos) para dar y quitar la honra, sino también con los dramas calderonianos del honor, a cuyo especial grupo pertenecen los antes citados, donde aquello que cuenta es, no los sentimientos propios, sino la opinión ajena.

Lo cierto es que, pese a varios trabajos interesantes y sugestivos, como, por ejemplo, los de Américo Castro, Madariaga y Valdecasas, aún no se ha dilucidado a fondo el azorante problema que nos plantea esa curiosísima peculiaridad cultural del honor «castellano» con el complejo de valores y de actitudes entrelazadas alrededor de su concepto. Para empezar a estudiarlo en serio sería indispensable haber explorado primero cuidadosamente la literatura de los siglos XVI y XVII en la enorme extensión de todas sus ramas, así como el derecho y la práctica judicial. A falta de eso —y sólo un trabajo de equipo permitiría llevar a cabo esta labor de investigación preparatoria—, no podemos permitirnos sino algunos atisbos por vía de ensayo, aventurando observaciones parciales, cautelosas conjeturas, con la advertencia siempre de que el asunto es de complejidad enorme.

Se tropieza ante todo con la dificultad de que el concepto del honor y los sentimientos a él vinculados constituyen un elemento esencial de toda sociedad humana. Su presencia es universal; y sólo el contenido concreto de aquello que se considera honroso o deshonroso es lo que cambia de unas sociedades a otras. Aun esos contenidos, diversamente modulados por la cultura, han de tener, sin embargo, raíces comunes en las situaciones primarias determinadas por el juego de los impulsos biológicos que conducen a una afirmación competitiva del individuo en busca del prestigio social dentro del grupo. Su matización y, por así decirlo, estilización (que puede llegar, como en el caso del honor calderoniano, a la extravagancia suma) será lo que marque las diferencias entre unas y otras sociedades. Así, pues, quien quiera desbrozar siquiera el tema en forma sistemática deberá acometer en primer lugar la tarea de discernir la peculiaridad —«la opinión de España», según Alemán lo dice—, aislándola del conjunto.

El material más obvio revela a la primera ojeada que la explicación teológico-moral generalmente aducida, y aceptada por el autor de *Guzmán de Alfarache* —a saber: que el marido, aun ignorante, queda deshonrado por la liviandad de quien, en virtud del lazo conyugal, se ha hecho carne suya [1]—, no basta en modo alguno. Para ser acep-

---

1 Véase la misma doctrina en Cervantes: «Y tiene tanta fuerza y virtud este milagroso sacramento, que hace que dos diferentes personas sean una misma carne; y aun hace más en los buenos casados, que aunque tienen dos almas no tienen más que una voluntad. Y de aquí viene que, como la carne de la esposa sea

table, tendría que operar por lo pronto en forma recíproca; es decir, que sobre la cabeza de la esposa engañada también debería recaer deshonra, siendo así que, en verdad, a nadie se le hubiera ocurrido sino, a lo más, compadecerla, nunca vituperarla. De otra parte, incluso el marido adúltero tendría que quedar deshonrado por su propio pecado, por el pecado de su propia carne; pero de hecho, y cualquiera sea la reprobación que éste merezca, desde luego no le acarrea deshonor —todo lo contrario—, mientras que ese mismo pecado en la mujer cuya carne ha llegado a pertenecerle por sacramental accesión lo cubre de infamia... Claro está, pues, que la razón no es ésa; y bien puede sospecharse que la explicación teológica de que tan convencidos se muestran los autores viene superpuesta y añadida.

Su insuficiencia se acentúa todavía más con las siguientes consideraciones: la deshonra que la liviandad femenina produce no está limitada en modo alguno al caso del adulterio, o siquiera mala fama, de la esposa. Aunque el honor masculino depende en manera muy especial de su honestidad y buen nombre, también la conducta de otras mujeres de la familia, hijas, madre, hermanas, puede

---

una misma con la del esposo, las manchas que en ella caen, o los defectos que se procura, redundan en la carne del marido, aunque él no haya dado, como queda dicho, ocasión para aquel daño... así el marido es participante de la deshonra de la mujer por ser una misma cosa con ella; y como las honras y deshonras del mundo sean todas y nazcan de carne y sangre, y las de la mujer mala sean de este género, es forzoso que al marido le quepa parte de ellas, y sea tenido por deshonrado sin que él lo sepa» (*Quijote,* parte I, cap. XXXIII).

mancharlo. En general, si la reputación de cualquier mujer sometida a su autoridad sufre menoscabo, el varón se considera deshonrado y deberá volver por su honra de un modo u otro. Llenos están de casos tales el teatro y la novela del Siglo de Oro. Para citar sólo uno, el Don Vicente de *La villana de Vallecas,* al saber que su hermana soltera ha huido de casa tras un amante, exclama:

> ¡Sin honra Doña Violante!
> ¡Tras la hacienda que he perdido.
> la joya más importante
> pierdo también! ¡El honor
> que de mi padre heredé!
> ....
> ¡Por una mujer liviana!

Y al llegar a este punto, nos convendrá recordar que semejante extensión de los fueros del honor dista mucho de ser privativa de España. Hace unos años circuló por el mundo una película griega, *La muchacha vestida de negro* —antes aludimos a ella—, donde se mostraban, no sólo los paisajes y figuras que hubieran podido pasar por españoles, sino también «costumbres españolas». Unico varón de su casa, un adolescente se ve obligado a reivindicar el honor de la familia al enterarse de que su madre, viuda, ha tenido relaciones con un vecino. No sólo desafía a éste, aun a sabiendas de que, más fuerte, va a molerlo a golpes, sino que públicamente castiga a la madre pecadora... A pesar de la impresión primera, no hay ahí nada de «español», ni, por supuesto, nada tampoco de específicamente griego. Se trata, sin duda alguna, de la supervivencia dentro de un ambiente aldeano de pautas de conducta correspondientes a cierto tipo de sociedad a cuyas características aluden con alcance aproximativo los términos «patriarcal» y «feudal»; es decir, una sociedad de urdimbre laxa, donde la autoridad recae sobre los varones cabeza de familia. En ese tipo de sociedad, el grupo familiar constituye unidad básica; y a su jefe le compete la responsabilidad por todos sus miembros: él es quien sustenta el prestigio del nombre patronímico, u honor.

Fácil resulta descubrir los fuertes ingredientes patrimoniales que entran a componer el complejo ético-social constitutivo de ese honor. En el primitivo derecho romano, el *pater familias* es dueño de cuantos componen la suya, no menos que de sus esclavos; su autoridad está fundada sobre la propiedad. Y nadie ignora, por otra parte, la importancia que en una sociedad semejante tienen las nupcias desde el punto de vista económico. Si el honor del varón —o barón— consiste en hacer respetar lo que le pertenece, una parte —y parte importantísima— de su propiedad son las mujeres de la casa. Seducirlas es inferir ofensa al honor de la familia, porque es depredar su propiedad, robarla, atreverse a las barbas del señor. Este debe vengar el agravio. Si no lo hiciera, su prestigio quedaría destruido, su nombre por los suelos, su hombría en entredicho. Y por lo que se refiere a la mujer que, con voluntad o sin ella, ha sucumbido, su desgracia la priva ya de valor, está perdida, es una perdida y —como testimonio viviente de la deshonra familiar— merece exterminio. Ello se advierte bien, sobre todo, cuando no ha mediado culpa alguna de parte suya. La Isabel de *El alcalde de Zalamea,* pese a su prudencia discretísima, fue raptada y forzada; por consecuencia, encuentra muy natural que su padre le quite la vida a raíz de la infamia de que ha sido víctima:

> Tu hija soy, sin honra estoy
> y tú libre: solicita
> con mi muerte tu alabanza
> para que de ti se diga
> que por dar vida a tu honor
> diste la muerte a tu hija.

Es como la bestia que «se ha desgraciado» y a la que se hace necesario ultimar, aunque en el caso del animal doméstico que se inutiliza el motivo económico aparece crudo y consciente (no interesa seguirlo manteniendo), mientras que en el de la mujer desgraciada ese motivo originario, reelaborado y cubierto por el velo del prestigio social, se ha espiritualizado en el concepto del honor, patrimonio del alma si se quiere, pero patrimonio al fin.

Dentro de este cuadro general, que abarca a todas las mujeres de la casa y no tan sólo a la esposa legítima, la reacción frente al adulterio de ésta nace de raíces biológicas muy hundidas en el terreno de la naturaleza animal, por razón de las cuales adquiere una modulación singular y distinta. En efecto, si se observa la conducta de muchas especies zoológicas durante la época del celo, se impondrá la evidencia de que la apropiación exclusiva de la hembra por el macho pertenece al número de los impulsos instintivos. Ese impulso existe, sin duda alguna, en la especie humana; y tampoco es dudoso que los celos constituyen el motivo último, biológico, del sentimiento del honor conyugal: en el monopolio de la mujer se encuentra comprometido el prestigio de macho del marido. Y a esta raíz biológica se remite incluso el famoso argumento de que el matrimonio ha convertido a la mujer en carne del hombre; la referencia a esta estructura primaria de la relación sexual sacramentada explica lo que de otro modo no satisface el argumento: que la infidelidad de la mujer deshonre al marido, y no a la inversa. En el triunfo o derrota del macho que compite por una hembra hay ufanía o humillación; mientras que ella, en su caso, parece natural y se espera que *sufra* pasivamente el desvío de su pareja. De ahí también el alarde glorioso del hombre que consigue conquistarse a la mujer ajena, esa casi irreprimible propensión masculina a pregonar tales triunfos. Don Juan representa la hipertrofia de la ufanía victoriosa dominando por encima del interés carnal que origina la lucha: para él, ésta es, ante todo, deporte.

¿Hará falta subrayarlo? Sobre este duelo biológico de instintos primarios la cultura construye sus creaciones que, claro está, se fundan en cimientos naturales, pero llegan a adquirir autonomía y sentido propio. Al elaborar esos impulsos en vías culturales el hombre los estiliza, prolongando a veces su línea artificiosamente, y a veces también torciéndola y aun contrariándola de manera abierta. Obsérvese cómo, en el caso de que nos ocupamos, por mucha indiferencia que el marido pueda sentir hacia su mujer, y aunque las relaciones carnales entre ambos sean de hecho nulas, el adulterio de la esposa legítima lo deshonra, mientras que, en cambio, no atentará a su honor la infidelidad de una amante con quien la unión, acaso muy apasionada, carezca de sanción oficial. Para las leyes, el crimen pasional, el homicidio por celos cometido por un hombre o una mujer, casados o no, podrá encontrar el beneficio de circunstancias atenuantes; pero, todavía en pleno siglo XX, el Código penal español construyó el uxoricidio de la cónyuge sorprendida en adulterio como un delito privilegiado, cuya pena lo equipara en la práctica a un caso de excusa absolutoria —haciendo en esto pareja con el homicidio en duelo—, y ello por consideraciones de honor, es decir, sociales. Es, sin duda, un vestigio, entre tantos otros, de la «opinión de España».

Pero antes de ocuparnos de la peculiaridad de esta «opinión», indiquemos todavía que, en términos generales, las estilizaciones de la cultura suelen aparecer y desarrollarse mediante contrastes significativos, en contraposiciones de sentido estético. Para el tema que estamos tratando la diferencia natural de los sexos ofrece, como se advierte en seguida, el eje cardinal de tales contrastes. Uno y otro, el hombre y la mujer, deben ajustarse en sus respectivas conductas a normas de comportamiento cuyo conjunto constituye el papel social del correspondiente sexo; y con referencia a esas normas podrá juzgarse en la práctica acerca de lo que es propio y lo que es impropio, decente o indecente, honorable o deshonroso. Dentro de dichas pautas se cumple el proceso educativo de las nuevas generaciones, la formación de hombres y mujeres, con vistas al adecuado desempeño de su papel en sociedad.

Por supuesto que, a partir de la división, diversificación y contraposición de los sexos, el papel social de cada uno de ellos está modulado todavía según otros varios criterios, donde los datos naturales adquieren configuración social —por ejemplo, la «edad», el «estado civil», etc.— o donde lo social prevalece resueltamente y marca el tono, como ocurre con las clases u otras categorías de la organización económico-política. Y en cuanto a esto, quiero señalar aquí, por lo que se refiere a la cuestión del honor español, una singularidad que Américo Castro ha destacado y sometido a sagaz interpretación. Se trata de que, por contraste con el resto de Europa, los villanos pretenden honor en la España del siglo XVII, y honor se les reconoce, aunque no indisputadamente:

¿Vosotros honor tenéis?
¡Qué freiles de Calatrava!

exclama con sarcasmo el Comendador en *Fuenteovejuna;* pero no sin que le repliquen:

> Alguno acaso se alaba
> de la cruz que le ponéis
> que no es de sangre tan limpia.

La misma cuestión —y los ejemplos podrían ser infinitos—, en *La venganza de Tamar,* de Tirso:

> ¿Y hay honor entre villanas?
> Y con más firmeza está...

De Calderón es, en fin, el diálogo famoso entre el Capitán y Juan Crespo:

> ¿Qué opinión tiene un villano?
> Aquella misma que vos;
> que no hubiera un capitán
> si no hubiera un labrador.

Pero basta; sobre este punto volveremos más adelante.

Lo que de momento nos interesa es insistir acerca del carácter compulsivo que esos dechados o papeles sociales tienen. Siguiendo sus pautas, desde la primera infancia se enseña a las criaturas cuáles son las expectativas que deben satisfacer: ciertas cosas son cosas de hombre; ciertas otras, de mujeres; y cada cual debe atenerse a las normas de conducta establecidas y aceptadas para el sexo respectivo, dentro de las circunstancias de su edad, posición social, estado, etc. Si el conseguirlo le cuesta mayor o menor esfuerzo, y aun si lo consigue o no, dependerá del grado en que las condiciones innatas del individuo coincidan o diverjan del tipo ideal que se le propone por modelo. En relación con esto proporcionará un provecho no desprovisto de placer la lectura del libro *Male and Female* (Macho y hembra), de la antropóloga Margaret Mead.

Por supuesto que, siendo distinto el grado de estilización operado por las diversas culturas sobre los materiales que la naturaleza les ofrece, las demandas planteadas al individuo serán también de exigencia variable según los casos, y podrán llegar incluso a hacerse abrumadoras, casi insufribles, dando lugar a situaciones sociales psicológicamente insanas. El *Cuento de Gengi,* escrito a principios del siglo XI por la noble japonesa madame Murasaki, donde se describen los rituales en que debía educarse una muchacha de su condición, ofrece un ejemplo, remoto en el tiempo y en el espacio, de esa formalización excesiva que también hallamos en la complicadísima cortesía de la España barroca; y bastará a su vez echar una mirada a la situación espiritual de esta España, según se trasluce en toda clase de documentos, literarios y otros, para darse cuenta de lo que quiero decir cuando hablo de una situación social psicológicamente insana.

El ideal extremado del pundonor, tal como aparece expuesto en los típicos dramas calderonianos (es decir, vinculado sobre todo al comportamiento sexual de la mujer), forma parte y es acaso culminación de una estructura de valores en cuya base hay graves incongruencias, efecto de las cuales serán tensiones de resultados explosivos o, a la larga, extenuadores.

Por lo pronto, a nadie se le oculta que, bajo el régimen del honor más puntilloso, la sociedad española de la época vivía en el desenfreno de la inmoralidad sexual. Los casos espantosos de honor, los temperamentos extremos, eran probablemente más cosa de teatro que de la realidad cotidiana; campaban más en el terreno de la fantasía que en el de las costumbres prácticas. Frente a *El médico de su honra* se levanta la quevedesca *Carta de un cornudo a otro intitulada «El siglo del cuerno»*. Desde luego, sería ingenuo tomar al pie de la letra y como descripción de la realidad lo que el satírico propone, tanto como, por el lado opuesto, atribuir análogo valor descriptivo al teatro del honor. En verdad, la sátira, tan exagerada como el paradigma preceptivo, representa su envés, completándolo con el mordiente de la sanción social; de modo que el vilipendio del marido engañado —y, con mayor motivo, del consentidor— a que se entrega Quevedo con encarnizado ensañamiento significa, no tanto la reacción contra una plaga extendida como el refuerzo de la norma mediante una coacción eficacísima. Es una apostilla a «la opinión de España» que degrada con burlas e improperios al marido de la adúltera. Que los «casos de honra», ceñidos así a las relaciones sexuales, tenían en vilo a la España de entonces, no ofrece duda alguna. Muchas veces se ha citado la indicación de Lope de Vega en su *Arte nuevo de hacer comedias,* según la cual

> los casos de la honra son mejores
> porque mueven con fuerza a toda gente,

queriendo interpretarla en el sentido de que tales casos le ofrecen al autor la ventaja de interesar a toda clase de públicos. Y aun cuando esta interpretación sea torcida, pues la ventaja que Lope les atribuye es, más bien, la de persuadir con fuerza los ánimos en favor de las acciones virtuosas (no debe cortarse la oración, como el credo, por mala parte; los versos siguen diciendo:

> con ellos las acciones virtuosas,
> que la virtud es dondequiera amada,

etcétera), queda siempre el hecho de que, reconociéndole función educativa al teatro, el preceptista la centra con toda naturalidad alrededor de los casos de honra, cuyas «acciones virtuosas» son las que deben edificar a los espectadores. Para éstos, como para el dramaturgo mismo, el colmo de la virtud se halla en el punto de honor. Había comedias de santos, sí; dramas teológicos, piezas de tema histórico; pero para la moral social lo significativo era las cuestiones de honra nacidas de la relación entre los sexos. Y esta relación se hallaba sometida a normas tan rígidas y estrictas que no podían dejar de producir tensiones tremendas en el campo de la realidad práctica.

Por lo pronto, la mancha del honor sólo con sangre podía lavarse. Quien, deshonrado, no estuviera dispuesto (sea por pusilanimidad, sea por magnanimidad, sea por retroceder ante un pecado mortal que, según la frase cervantina, «no se ha de cometer por todas las ganancias que la honra del mundo ofrezca») a consumar el sacrificio que con tanto esfuerzo debió imponerse el médico de su honra, quedaba socialmente descalificado. No había matices, distingos, términos medios: o la sangría, o si no, resignarse a ostentar sobre la frente las marcas perdurables de la infamia; el honor inmaculado o si no, la definitiva e irremisible abyección. Considérense los circunloquios de Cervantes en el pasaje citado apuntando a la solución del divorcio, y el sentido del consejo de Periandro a Banadre: ésa es la posición humanista y cristiana que ya sólo a vuelta de reticencias se atrevía a expresarse en el siglo XVII; ahora no cabían ya buenas componendas: o el honor intachable o la infame abyección.

Y dada la condición irreparable, absoluta y total de ésta, ¿será extraño que muchos, una vez caídos en ella, se acomodaran con cinismo a su deshonra? Quizá no fuera tan «el siglo del cuerno» como la sátira quevedesca sostiene; y ya dije que resultaría ingenuo tomar esas burlas por veras. Pero tampoco es dudoso que la severidad cruel de las normas produjo un resultado de relajamiento práctico. El teatro del Siglo de Oro, en su conjunto, nos presenta la imagen de una sociedad que, literalmente, revienta de pasiones sexuales apenas contenidas, desbordándose, rezumando, escurriéndose por todas las rendijas imaginables de la astucia, del disimulo, del equívoco, de la superchería, del engaño. Si echamos agua al vino de Quevedo con sus befas procaces, no parece haber demasiado motivo para que pongamos en cuarentena aseveraciones como la de Lope, cuyo Comendador, a quien han cansado los pruritos de honor del villanaje, exclama:

> ¡Ah! Bien hayan las ciudades,
> que a hombres de calidades
> no hay quien sus gustos ataje;
> *allá se precian casados*
> *que visiten sus mujeres.*

Mantenerse con honor no era, bajo tan estrechas exigencias sociales, cosa fácil para cualquiera; y llegado el caso, quien no fuese capaz de pasar por la puente, tenía que echarse al vado.

La situación estaba todavía agravada por el hecho de que el honor del hombre radicara, no en la propia conducta, sino en la conducta de otra persona que, aun siendo carne de su carne, no dejaría de tener también su alma en su almario. Si la honra hubiera consistido —como en el párrafo que citamos al comienzo adoctrina Alemán— en la virtud, por muy alto que estuviera colocado el nivel de la respetabilidad, por muy rigurosa que fuera la exigencia social, ésta se referiría siempre a la esfera de acción del sujeto, haciéndolo responsable de sus propios actos. El honor sería entonces, en verdad, patrimonio del alma; y cada cual podría consultar sus propias capacidades virtuosas para gobernar su conducta, ajustándola a los patrones de la opinión, a fin de alcanzar la mayor honra posible. Pero cuando ésta depende de la conducta, siempre incontrolable, de otro ser humano que, como tal, es libre para mal o para bien, cuando uno puede quedar deshonrado no ya sin culpa alguna, pero aun sin conocimiento del hecho, entonces el honor, en lugar de tener su asiento en el alma, se sitúa fuera de su alcance, en un plano trascendental.

He comparado antes la angustia de Don Gutierre, obligado a sanar su honor, con la congoja de Abraham. Sin culpa alguna (aunque, en el fondo, la solidaridad en la culpa universal nos haga a todos responsables por el prójimo), en fin, por razones que están más allá de la razón, puede verse cualquier ser humano, una vez u otra en la vida, apretado entre la espada y la pared, colocado ante una prueba suprema: es el momento de la fe. Pero, cuando he hablado aquí de un plano trascendental, como acabo de hacerlo, me refería, no a esa experiencia metafísica, sino al orden de la sociedad, desde cuyas instancias se administra el honor como opinión. Y, en suma, una sociedad que plantea a sus miembros exigencias extremas, que los pone ante la prueba suprema (a que muchos deben sucumbir) con ocasión de situaciones —dada la condición humana— frecuentes, es una sociedad afectada de serias anomalías.

En llegando a este punto, conviene que volvamos a recoger otro, aludido antes: el de las pretensiones de honor de los villanos en la España del siglo XVII. Si éstas se fundaran en la equiparación cristiana de honra y virtud, y el honor del villano se hubiera hecho consistir en su *honradez* (es decir, en los valores peculiares de su clase laboriosa, según el divergente significado que después adquirirían los términos de «honor» y «honra», intercambiables entonces), estaríamos frente a una moral social más avanzada que la dominante a la sazón en Europa. Pero no es así. Las pretensiones de honor de los villanos (y a don Américo Castro le corresponde el de haberlo señalado) tienen fundamento muy distinto a ése, y por cierto, fundamento de carácter hereditario. ¿Cuál? La limpieza de sangre. Es una cuestión de linaje. Alguno de los caballeros de la orden de Calatrava —ha argüido el regidor; compúlsese la cita— no es de sangre tan limpia, como los villanos de Fuenteovejuna. ¡Sangre limpia; honor limpio! La correlación se impone por sí sola.

Apenas es necesario subrayar hoy, cuando tanto se ha ponderado [1], la carga que sobre la sociedad española impuso el requisito de limpieza de sangre, cada vez más ampliamente obligatorio. Prescindamos del apartamiento impuesto a tantas y tantas capacidades excelentes a cuyos servicios

[1] Mencionaré tan sólo el libro de Albert A. Sicroff *Les controverses des status de «pureté de sang» en Espagne du XVe au XVIIe siècle,* París, Didier, 1960.

se renunciaba por causa tal, y consideremos tan sólo el estado de incertidumbre en que debían vivir los españoles, amenazados siempre en su *status* social por un hecho eventual como el ser descendientes de cristianos nuevos, incierto con frecuencia, quizá ni siquiera barruntado, y en todo caso sustraído a su control, ajeno a la voluntad del sujeto. Muchas, inagotables muestras de tan angustioso estado de ánimo podrían aducirse. Me limitaré a reproducir un soneto de Quevedo, quien se consideraba a sí mismo libre de sospecha y que, además, no escatimaba sarcasmos e improperios contra los impuros. El soneto «aconseja a un amigo, que estaba en buena posesión de nobleza, no trate de calificarse, porque no le descubran lo que no se sabe»; y dice así:

Solar y ejecutoria de tu agüelo
es la ignorada antigüedad sin dolo;
no escudriñes al Tiempo el protocolo
ni corras al silencio antiguo el velo.

Estudia en el osar deste mozuelo,
descaminado escándalo del polo:
para probar que descendió de Apolo,
probó, cayendo, descender del cielo.

No revuelvas los güesos sepultados;
que hallarás más gusanos que blasones,
en testigos de nuevo examinados;

que de multiplicar informaciones
puedes temer multiplicar quemados,
y con las mismas pruebas Faetones.

Lo que el poeta aconseja a su amigo es una cautelosa inhibición, una prudencia paralizante...

No hacen falta grandes esfuerzos de imaginación para representarse los efectos desmoralizadores con que se jugaría el requisito de limpieza de sangre en la competencia por las posiciones sociales, ya que, no la realidad muy probable y siempre posible de algún entronque «impuro» en la familia, sino hasta la mera denuncia de un rumor era bastante para deshacerse de los rivales. De modo análogo se dijo en la España contemporánea: «¿Quién es masón? Quien me precede en el escalafón.» Así, bajo el régimen de la sospecha universal, el nombre de judío llegó a ser un insulto gratuito, que ni siquiera implicaba imputación real, tanto como lo era y sigue siéndolo el vocablo con que se designa al marido engañado.

Vemos, pues, cómo, en la función de los dos impulsos que según el Arcipreste de Hita mueven al hombre: «hallar mantenencia, y fembra placentera», la sociedad española del siglo XVII había dislocado los criterios de valor, situándolos fuera del alcance de la voluntad y de la conducta del individuo, quien, si su sangre no era limpia, nada podía hacer sino renunciar a toda distinción y empleo honroso, o valerse del disimulo, la trampa, el soborno, etc.; y si, por mala ventura, había caído sobre su honor una mancha, afrontar la prueba sangrienta, o bien el público ludibrio.

Casos extremos, es cierto; pero lo grave de la situación, lo que nos autoriza a calificar de insana a aquella sociedad española cuya fastuosa y harapienta decadencia tanto ha llamado la atención, es que en ella casos tales, donde la tensión moral excesiva reserva el triunfo sólo a quienes poseen un temple extraordinario, se dan con el carácter de lo ordinario y común, forzando hacia diversas maneras de degradación a multitud de hombres que, en las condiciones de una sociedad normal, hubieran podido mantener la propia estimación y la ajena. El fantasma de una insospechada tatarabuela judía, el espectro de la honra siempre amenazada, tenía que corromper la paz interna de los españoles, haciéndolos vivir con el alma en un hilo.

De hecho, tanto la preocupación por la limpieza de sangre como por la del honor —y ya hemos visto que ambas están ligadas— constituyen verdadera obsesión en la época. La literatura entera está sembrada de alusiones; y dentro de la satírica, son el tema dominante. Basta repasar la obra de Quevedo, tan rica y variada en motivos, para que esa obsesión salte a la vista. Quizá querrá decirse que este poeta la lleva a su punto máximo, y no lo niego. Su reluctancia al matrimonio, esa desconfianza hacia las mujeres que seguramente nacía en él de una inseguridad propia fomentada acaso por la conciencia de sus defectos físicos y por la lucidez fría con que era capaz de observar el espectáculo del mundo, responde a los mismos temores profundos que rezuman sus diatribas contra los maridos engañados. Insisto en sugerir que, en la España del honor calderoriano, la corrupción de las costumbres era mucho mayor de lo que suele estimarse... y precisamente por efecto del honor calderoniano. El riesgo de infidelidad conyugal no era allí uno de tantos como la vida comporta; se trataba —ya lo hemos señalado— de una eventualidad tremendamente crítica. Si Quevedo pensaba asegurarse contra ella eludiendo el matrimonio, es claro que semejante escapatoria no podía valer como regla general: él mismo terminaría por casarse. Generalmente, se apelaba al recurso de exagerar las precauciones y recaudos hasta el máximo, con el efecto contraproducente de disminuir en la mujer así encerrada y vigilada el sentido de su propia responsabilidad moral, a la vez que exacerbaba, así en ella misma como en los hombres excluidos, el deseo de burlar tanto lujo de cautelas, recogiendo el reto de una prohibición tan rigurosa. *La dama duende* sería sólo un ejemplo entre mil, que de manera deliciosa ilustra ese estado de ánimo. La cuestión de honor dejaba de surgir como un accidente provocado por las fallas del corazón o la lascivia para plantearse, dentro de ese cuadro, con caracteres de feroz apuesta. Calcúlese cuáles no habían de ser los estragos de tal planteamiento.

La virulencia de la sátira contra los «cornudos» revela, en efecto, que se hacía necesario el refuerzo de una enorme sanción social para proteger las costumbres cuyo dechado era *El médico de su honra*. Sus «acciones virtuosas» debían mover «a toda gente», tanto como inhibirla el epigrama: «¡Qué galán que va Vergel...!»

Ese escarmiento, en la adornada cabeza de tal o cual Vergel o en la de personajes fingidos, nadie lo prodiga con el encarnizamiento de Quevedo. En este punto, como en tantos otros, nuestro gran polígrafo se muestra fiel a la más celosa ortodoxia; tanto que, en crítico tan agudo, llega a dar que pensar el denodado fervor de su adhesión a los criterios oficiales. Cuando se estudie a fondo su personalidad extrañísima deberá esclarecerse ese contraste asombroso que en él se observa, entre creyente a macha martillo, tradicionalista y conservador, y el más radical nihilista jamás nacido. Lejos estoy de querer dar a entender con lo dicho que aquellas actitudes estuvieran destinadas a encubrir o disimular para el exterior la actitud básica de este nihilismo; creo más bien que ambas se corresponden y complementan en el juego de su dialéctica vital. Alrededor del problema que nos ocupa hallamos un ejemplo más, y muy impresionante, de ese contraste quevediano. Ya lo hemos subrayado, y nadie lo ignora: su sátira contra los «cornudos» constituye el más violento, intransigente y feroz alegato en favor de ese concepto del honor cuya estructura hemos analizado antes. Su cerrazón implacable contrasta con la comprensión meditativa y sonriente de un Cervantes, y aun con el ascético desprendimiento de un Mateo Alemán... Pues bien: el mismo hombre que con tanta virulencia defiende lo que, no a nosotros, sino a sus contemporáneos les resultaba prejuicio extravagante, escribe el *Entremés famoso «El Marión»*, donde no sólo se destruye su exageración, sino que se lo arranca de raíz, socavando el concepto mismo del honor, que, según pudimos ver, se encuentra fundado en la distribución funcional de papeles sociales entre los dos sexos.

Sospecho que no se ha prestado demasiada atención a esa obrita portentosa. En verdad, el teatro de Quevedo no ha tenido hasta ahora, pese a algún estudio monográfico estimable, como el de Guido Mancini [1], la consideración que merece. En *El Marión,* primera y segunda parte, se presentan respectivamente una escena de cortejo y otra de disputa conyugal en que los papeles de los dos sexos están invertidos. No se trata, por supuesto, de un caso más de travestimiento. El teatro español —y la novela— de la época abundan en mujeres con traje de hombre y queriendo pasar por tal, casi siempre en busca del honor perdido; y con tanta frecuencia ocurre el fenómeno que ha dado lugar a trabajos de investigación académica [2]. En el entremés de Quevedo no hay propiamente disfraz: la mujer aparece vestida de mujer, y el hombre de hombre. Tampoco —en contra de lo que hubiera podido esperarse— la inversión de papeles entre los sexos tiene ahí implicaciones salaces. La intención es puramente cómica. Tres damas rondan la casa de Don Constanzo, el galán, quien asume el papel femenino de

---

[1] *Gli entremeses nell'arte di Quevedo,* Pisa, Librería Goliartica Editrice, 1955.

[2] Carmen Bravo-Villasante: *La mujer vestida de hombre en el teatro español (siglo XVI-XVII),* Madrid, Revista de Occidente, 1955.

«doncello» que no se atreve a aceptar el obsequio de «lienzos, guantes y randados cuellos» por no obligarse, y por temor («¡Qué gran susto!») a su padre. «¡Oh villano! ¿Así mi honor se trata?», clamará éste. El doncello tiembla, hace remilgos, miente, se queja: «¡Nunca me diera Dios tanta hermosura!...» La segunda parte presenta a Don Constanzo casado ya con Doña María, una de sus previas cortejantes, quien lo corre con una daga desnuda y le hace sufrir los rigores de su autoridad marital. Una vecina intercede: «Más blandura, que al fin es su marido.» Se queja Don Constanzo:

> Tiene una condición más que tirana.
> ¿Yo poderme asomar a la ventana?
> ¿Yo visitar? ¿Yo ver amigos, fiesta,
> guerras? ¿Yo ver comedia?
> No tengo más holgura conocida
> que estar en un rincón toda mi vida.

Estas dos breves piezas tienen un significado único en todo el teatro del Siglo de Oro, con el que se confrontan. Aun en las más atrevidas de Tirso (recuérdese por ejemplo, la Doña Serafina de *El vergonzoso en Palacio* enamorándose de sí misma en el retrato que la pinta como hombre), el movimiento, por muy convulsivo que sea, se mantiene dentro de los ejes de la sociedad. En *El Marión,* en cambio, no hay turbiedad ninguna, es un sencillo juguete que sólo persigue efecto cómico; el hombre asume el papel de la mujer, y la mujer el del hombre: eso es todo. Han trocado la posición, las actitudes, las maneras, el lenguaje; pero con sólo esto, lo que se entiende por ser hombre y lo que se entiende por ser mujer, corolario —a nuestro parecer, obvio— de la diferencia biológica de los sexos, ha quedado desprendido con un tirón de su soporte natural y, a la manera de un papel de teatro, vemos que se le encaja, como por equivocación, a un sujeto del otro sexo. De pronto, nos damos cuenta de que el orden social entero ha quedado roto por el eje, desquiciado. Aquello que más firme parecía cuelga como floja bambalina, vana apariencia, convención, mentira, nada. Ante nuestra carcajada, la realidad se ha desplomado, llevándose en su caída grotescamente el concepto del honor que sostenía al edificio social.

En resumen: el concepto de honor castellano constituye la clave del arco valorativo de la sociedad española en los Siglos de Oro. Pero ese honor es un concepto complejo, dentro del que caben muchos matices que se prestan a bastantes equívocos. Para empezar, tenemos la noción que era común en toda Europa desde el Renacimiento, con la cristianización de la *virtus* pagana, como un valor intrínseco del individuo, sobre el que nadie tiene poder sino Dios (nadie, ni siquiera el Príncipe, a pesar de que, como toda potencia humana, representa, según San Pablo, a la divinidad). Así se encuentra proclamado, por ejemplo, en una frase del filósofo francés Jean Bodin, quien afirma que «le Prince pourra bien disposer de la vie et des biens du subject, mais il n'a point de puissance sur son honneur». A esta generalizada convicción concurren los famosos versos de Calderón cuando, en *El alcalde de Zalamea,* proclama que «el honor es patrimonio del alma, y el alma sólo es de Dios».

Ya pudimos ver cómo otros grandes escritores de la época, Mateo Alemán y Miguel de Cervantes, habían derivado antes de ese principio una articulada doctrina cristiana acerca de la honra, que el adulterio de la mujer mancilla por efecto de la unión corporal de los cónyuges sacramentada en el matrimonio. Pero es evidente que doctrina tal no justifica la aplicación que en la sociedad española de aquella época se hacía del concepto del honor. Por lo pronto, dicho concepto debiera haber valido tanto para el hombre como para la mujer, de modo que ésta quedase a su vez deshonrada por el adulterio del marido, cosa que en modo alguno era aceptada. Y además, la mancha en la honra masculina producida por la conducta deshonesta de la esposa no se reducía, como pretende Mateo Alemán, al adulterio de su legítima consorte, sino que se extendía igualmente a la liviandad de cualquier miembro femenino de la familia, y planteaba en todo caso al varón exigencias que, desde luego, son contrarias a los mandamientos cristianos.

Básicamente, esas exigencias consisten en la obligación de limpiar con sangre la mancha de la honra. Para que así se llevara a efecto daban pie, y aun estímulo, las prescripciones legales del derecho penal. Una disposición del Fuero Real incluida en las Recopilaciones oficiales vigentes durante los siglos XVI y XVII establecía que los adúlteros fueran puestos «en poder del marido, y éste faga dellos lo que quisiera». Tanto podía, en efecto, entregarlos a la justicia pidiendo su ejecución, como ejecutarlos él mismo por su mano, o bien, si lo prefería, perdonarlos. Los casos documentados de aplicación de esta ley son muy abundantes. Para ejemplo, puede leerse acerca de algunos en la *Miscelánea* de don Luis Zapata.

Lo más frecuente y —supongo— lo más aprobado por la opinión pública era, sin embargo, que la venganza tuviera carácter privado y, de ser posible, secreto. Se trataba, precisamente y ante todo, de satisfacer a «la opinión», palabra con la que era designada también la fama u honor personal; y por eso convenía evitar la divulgación de la pérdida de la honra, aunque ésta hubiera sido rescatada o reivindicada después por la muerte justiciera de los culpables. Pero, además, se estimaría sin duda que era más varonil para el hombre ofendido el tomarse la justicia por su mano que acudir en demanda de ella a las autoridades del Estado.

En verdad, este concepto del honor deriva de condiciones feudales, en las que cada señor, o barón, tenía que estar siempre dispuesto a defender su rústica propiedad; y entre los objetos de esta propiedad suya estaban desde luego las mujeres de su familia, entendida ésta en el más amplio sentido.

En efecto, el sentimiento del honor masculino vinculado a la intachabilidad sexual de las mujeres sometidas al poder y a la protección del jefe de la casa no es cosa privativa de España, sino que se encuentra en muchas otras sociedades semejantes, en Sicilia, en Grecia, mientras que en España misma no tenía validez igual para todas las regiones... Se entiende que el acceso sexual a sus mujeres representa un asalto a la propiedad del dueño, que éste no podría tolerar sin menoscabo de su prestigio y consiguiente pérdida de su honor. Así, en la sociedad española de los Siglos de Oro el jefe de la familia está obligado a vengar la deshonra ocasionada en cualquiera de las mujeres sometidas a su autoridad, sea la esposa, sea hija, hermana o madre: las situaciones que presenta el teatro clásico lo muestran hasta la saciedad. Para ceñirnos a un solo ejemplo: en *La dama duende* de Calderón es el hermano mayor de una mujer viuda quien debe hacerse responsable de su pureza de costumbres, velando así por su honor, y castigando, llegado el caso, la deshonra. Tal castigo —es bien sabido— implica no menos que dar muerte tanto al hombre culpable como igualmente a la mujer, aun cuando ella haya sido acaso víctima involuntaria de una violación. Es lo que ocurre en *El alcalde de Zalamea,* donde la hija del protagonista, forzada por el capitán, reconoce ella misma en los versos citados por mí que, habiendo sido «deshonrada» (y todavía hoy se oye a veces denominar así a la pérdidad de la virginidad; a cierto amigo le oí una vez decir: «Cuando en la noche de bodas *deshonré* a mi mujer...») su padre, el alcalde Pedro Crespo, debe matarla para salvar su propio honor.

Todo esto evidencia que, lejos de ser considerado el honor como exclusivo «patrimonio del alma», era un valor social —la fama, la opinión, el buen nombre intachable— que debía ser protegido inclusive contra las meras apariencias. Si la ofensa era efectiva, mejor vengarla en secreto para evitar que el hecho transcendiera; y aun si la deshonra era sólo una sospecha, o hasta un falso rumor, no menos requería efectuar dicho sacrificio, según ocurría algunas veces en la realidad, y según está dramatizado en la obra calderoniana *A secreto agravio, secreta venganza,* y más aún en *El médico de su honra,* donde la monstruosidad de la obligación impuesta por la norma vigente ocasiona las mayores tribulaciones al marido verdugo que se apronta a llevar a cabo el sacrificio. Las lamentaciones del afligido personaje, quejándose de la dura ley social que le obliga a matar a su inocente esposa, seguramente corresponderían a los sentimientos de maridos reales frente a menos inocentes cónyuges, puestos en el trance de hacer una carnicería y de jugarse la vida, o bien resignarse a perder el honor y pasar por cornudos.

Conviene notar ahora que, aun cuando prevaleciera en ella el principio feudal según el cual cada señor debía defender por sí mismo su honorable patrimonio, la sociedad española de los

Siglos de Oro había salido ya hacía tiempo de la Edad media y estaba organizada dentro del Estado autoritario de una monarquía absoluta. El principio de autoridad la regía de arriba a abajo; era una sociedad jerárquicamente organizada bajo el poder supremo del rey, quien ocupaba una posición eminente, y de quien emanaban en la práctica todos los honores, por más que el honor del alma, que radica en la virtud del sujeto, no dependiera de su arbitrio.

Existe, como he sugerido antes, una incongruencia en las varias versiones del concepto del honor presentadas en diferentes obras, y aun en la misma comedia, según puede verse en una de ellas tan famosa como *El alcalde de Zalamea,* donde aparecen varias formulaciones de dicho concepto, contradictorias entre sí.

Lo cierto es que, por otra parte, junto a la defensa de la puntillosa guarda de la pureza sexual de sus mujeres, el honor del hombre español de la época consistía en su acrisolada lealtad a la Corona, fuente de toda dignidad social. El rey otorgaba las dignidades; el rey confería los honores. Y así, siendo el rey un hombre concreto que, en cuanto tal, podía vulnerar acaso el honor sexual de sus súbditos, frente a él cesaba en éstos la obligación de la venganza, según lo acredita, por ejemplo, esa singular tragedia titulada *La estrella de Sevilla,* atribuida un tiempo —cómo no— a Lope, donde un monarca perverso comete varias atrocidades, violando a la hermana de su noble súbdito, quien, al enterarse de que la fechoría ha sido obra —digámoslo así— de la mano regia, detiene su venganza y se abstiene de actuar frente a la persona sagrada, aunque indigna, de quien ostenta el cetro.

Hay, pues, aquí un conflicto entre la obligación de limpiar con sangre el honor manchado y la reverencia debida a la persona inviolable del monarca. Es el conflicto que, en la comedia de Rojas Zorrilla *Del rey abajo, ninguno,* expresa su protagonista García del Castañar cuando, creyendo que es el rey quien ha asaltado su casa con propósito de violar a su esposa, exclama para sí: «Honor y lealtad, ¿qué haremos? ¡Qué contradicción implica la lealtad con el remedio!»; y expulsa enseguida al ofensor diciéndole «que de vuestros desaciertos (esto es, los del presunto rey) no puedo tomar venganza, sino remitirla al Cielo».

Resulta ser así, pues, que la otra clave del arco valorativo en la sociedad española de los Siglos de Oro es la lealtad al monarca, de quien deriva el sistema entero de las categorías sociales. Dentro de esa estructura, el honor de cada súbdito le mueve a defender celosamente su propia posición y a esforzarse con denuedo por elevarla. De lo primero da testimonio el empeño que ponía la gente en afirmar sus privilegios y preeminencias, reclamando aun los más pequeños signos exteriores de su reconocimiento por parte ajena. La legislación vigente reforzaba esta pretensión. En una de las pragmáticas de Felipe II contra la ostentación se establece de manera precisa «la orden que se ha de tener y guardar en los tratamientos y cortesías de palabra y por escrito», fijando penas para los contraventores; pero, desde luego, lo corriente era que el ofendido mismo saliese en defensa de su propio fuero. La literatura, la historia, los noticiarios de la época, están llenos de anécdotas, muchas veces pintorescas, con incidentes de graves consecuencias, por un saludo omitido, una cortesía insuficiente o cualquier otra especie de desconsideración social. Y a partir —por lo que se refiere a la ficción literaria— del caricaturesco y patético escudero del *Lazarillo,* sería fácil aportar casos abundantes, tanto ficticios como reales. En la vida práctica, muchos de los episodios registrados resultan más grotescos que cualquier caricatura y, pese a su carácter nimio, solían terminar en heridas y muertes.

Por razones de peso o por causas baladíes, los desafíos debían de ser casi tan frecuentes como nos lo da a entender el teatro de entonces, y muchas veces tan fútiles en el motivo como serios en los efectos. Un escritor, el duque de Estrada, no obstante su condición nobiliaria y espíritu conservador, clama en sus *Comentarios del desengaño:* «¡Oh, maldita y descomulgada ley del duelo! ¡Nacida en el infierno y alimentada en la tierra, devoradora de vida y haciendas; hija de ira y soberbia, madre de la venganza y perdición; ruina total de los humanos y perturbadora del sagrado templo de la paz!»

Dicho esto, habría que preguntarse ahora hasta qué punto refleja el teatro del Siglo de Oro la realidad social contemporánea suya. Desde luego, ese teatro no constituye en modo alguno lo que pudiera considerarse una dramaturgia de crítica político-social, ni tal cosa hubiera podido concebirse en la España de la Contrarreforma. (La interpretación que en ocasiones se ha hecho de *Fuenteovejuna* como un alegato democrático de carácter revolucionario es sin duda disparatada.) Más bien cabe afirmar por lo contrario que la comedia española de la época opera como poderoso instrumento de propaganda y exaltación de los valores oficiales, deformando en esa dirección la realidad. Pero así y todo, nos permite atisbar en su texto con mirada crítico-histórica, y descubrir ahí ciertos rasgos implícitos que revelan lo que quizá no hubiera querido ponerse de manifiesto.

Uno de esos rasgos es la estimación del villano, del labrador, como posible sujeto de honor, cosa que no encuentra paralelo por entonces en el teatro, ni quizá en ninguna otra manifestación literaria, de los demás países europeos, según ha destacado el erudito francés Noël Salomon. No hay que escudriñar demasiado para descubrir ese rasgo. Una de las piezas más conocidas de nuestro acervo dramático, la citada *Fuenteovejuna* de Lope de Vega, contiene la afirmación rotunda del honor villanesco; y otra, *El alcalde de Zalamea* de Calderón, lo ilustra de manera perfecta al mostrar, no sólo que el villano tiene honor, sino que incluso puede permitirse desdeñar la adquisición del título de hidalguía que está en condiciones de conseguir por su dinero. Habiéndole reprochado su hijo que, siendo tan rico, se sujete a los hospedajes de tropas que pesaban sólo sobre los villanos, él le replica: «Pues ¿cómo puedo excusarlos ni excusarme? —Comprando una ejecutoria», es la respuesta del joven. A lo que Pedro Crespo contesta: «Dime por tu vida, ¿hay alguien que no sepa que soy yo, si bien de limpio linaje, hombre llano? No, por cierto; pues ¿qué gano yo en comprarle una ejecutoria al rey, si no le compro la sangre? [...] Pues ¿qué dirán? Que soy noble por cuatro o cinco mil reales, y eso es dinero y no honra; que honra no la compra nadie».

¡Limpio linaje! ¡Ejecutoria de nobleza! ¡La sangre! Este significativo pasaje rebosa de implicaciones que vienen a explicar muchas cosas. Para empezar, nos suministra una indicación acerca del origen y razón de esa curiosa anomalía por virtud de la cual puede reconocérsele honor al «hombre llano» en la España de la Contrarreforma: se supone ahí que el labrador es «de limpio linaje» apuntando evidentemente a la presunta condición de cristianos viejos de aquéllos que, por generaciones de generaciones, han estado dedicados al cultivo de la tierra. (Sancho Panza alardea así de cristiano viejo por los cuatro costados, mientras nunca se le ocurre hacerlo a su amo, el hidalgo don Quijote.) Y esto nos lleva hacia la cuestión de la pureza de sangre, tan peculiar de aquella sociedad española, y tan dañina para la sanidad pública y privada de quienes en ella vivían.

Había, pues, en España, junto a la nobleza de la sangre —esto es, junto a la nobleza tradicional de la aristocracia en sus diversos grados y niveles—, otra especie de nobleza: la de quienes podían proclamar con orgullo su indisputada condición de cristianos viejos, de sangre limpia o «limpio linaje». Y así, por ejemplo, observamos en algunas comedias de la época cómo, ante situaciones de conflicto aldeano, los villanos increpan a los hidalgos del pueblo acusándolos de judíos.

La creencia de que una sangre noble se manifestaba en la noble actitud y conducta del sujeto era en la época prejuicio universal de Europa, del que en nuestra literatura hay innumerables testimonios (recordemos tan sólo *La fuerza de la sangre,* como tantas otras novelas ejemplares de Cervantes); pero en España la peculiar sospecha de antecedentes genealógicos «no limpios», que inhabilitan para acceder a las posiciones de honor, era sospecha tan extendida —y no sin razón— que, de hecho, apenas si los humildes labradores se hallaban exentos de ella. Bien puede calcularse, siendo así, la tensa complejidad de las relaciones interpersonales en una sociedad jerarquizada, donde cada cual aspiraba a ascender en la escala de la consideración pública. La adquisición de títulos de nobleza mediante su compra, tal como la recusaba Pedro Crespo pero muchos otros efectuaban en la práctica; o bien mediante el soborno y falsificación de documentos [1], o aun mediante

[1] En confirmación de ello me limitaré a reproducir, de los *Avisos* de Barrionuevo, una noticia de 28 de noviembre de 1654:

las fingidas apariencias a que se acogía el pícaro en la literatura o en la realidad, era anhelo común en aquella torturada sociedad española.

«Ayer se vio otro pleito graciosísimo, también en Sevilla, de los linajudos que llaman. Estos son de 36 a 40 personas, con su escribano, procurador y demás ministros judiciales, por cuya mano han pasado todas las informaciones de aquel lugar, de suerte que el pretendiente de hábito, Inquisición o Colegio, se concertaba primero con ellos, recomendándoselos a aquellos que había menester, con que salía con lo que deseaba, y el que no pasaba por esta estafa, le hacían bisnieto de Cazalla, Lutero y aun de Mahoma, descendencia ultramarina, no tan mala por la adoración de su zancarrón. Están presos algunos y sentenciados a muerte y galeras y otros castigos. Hasta en esto se ha introducido la malicia.»

NOTICIAS DE ANTAÑO

Cuando, con ocasión de mi ingreso en la Real Academia Española, me vi en el trance, no hace mucho tiempo, de redactar un discurso para su lectura en la ritual solemnidad, elegí el tema de *La retórica del periodismo.* Y sumido en esas previas reflexiones a que algunos de quienes escribimos solemos entregarnos antes de poner manos a la obra, pensé comenzarla aduciendo primero, como claros antecedentes de la prensa informativa periódica, no sólo ciertas crónicas y apuntes de valor histórico, sino sobre todo los epistolarios encaminados a destinatarios concretos para ponerles al tanto de las novedades producidas durante un cierto lapso de tiempo en lugar determinado, o quizá en el ancho mundo, epistolarios que son también fuente muy rica en datos para provecho de los historiadores.

Hube de descartar por lo pronto aquellos documentos, crónicas diversas o cualquier clase de otros escritos destinados a preservar para la posteridad el recuerdo de tales o cuales hechos notables, por considerar que esta intención difiere radicalmente de la periodística, apuntando más bien hacia la historiografía. Enseguida, decidí prescindir asimismo de las cartas particulares, porque siendo el objeto de mi proyectado estudio fijar los recursos retóricos usados por las gacetas noticiosas para persuadir de una opinión que aspiran a generalizar para que llegue a convertirse en opinión pública, no tenían en él lugar ni cabida escritos que al ser redactados, estuvieron lejos de aspirar a la esfera de la publicidad; más aún, cuyos autores tal vez hubiesen temblado de pensar que pudieran transcender sus palabras fuera del terreno privado. Y si, por excepción, mencioné ahí como antecedente particular del periódico algunos boletines de información económica como los enviados por la banca de los Fugger a uno de los miembros de la familia, fue en atención al hecho de que la mentalidad inspiradora de lo que luego vendría a ser el régimen de la opinión pública hubo de constituirse en la clase burguesa, protagonista de dicho régimen, con las actividades mercantiles y en el cálculo matemático de funcional racionalidad que ellas requieren. Aparte esto, si había de identificar la retórica del periodismo, tenía que hacerlo con la vista puesta en el propósito persuasivo de la prensa pública, dejando de lado la información privada, cuyo móvil es la mera curiosidad, por muy ilustrada que esa curiosidad pueda ser.

Con todo, y tras haber eliminado con buena razón del campo de dicho estudio mío esos epistolarios a que me refiero, no deja de ser muy cierto que, en algún modo, también ellos presentan un parentesco indudable con la moderna prensa noticiosa. Se aplican a recoger de manera miscelánea los sucesos del día, con un concepto muy amplio de lo que en francés se llaman *faits-divers,* pues lo mismo incluyen nimias anécdotas pintorescas o divertidas que la reseña de decisivas batallas, de catástrofes naturales o de complicadas intrigas diplomáticas. Cuantos acontecimientos se reúnen en las páginas de un periódico moderno se encuentran reunidos ya en las cartas de esas correspondencias privadas, donde, igual también que en los diarios impresos de hoy, se sigue a veces en varias entregas consecutivas el desarrollo de un asunto, o se rectifica la información inexacta facilitada en fechas anteriores. Pero todo esto no persigue otro fin en los epistolarios particulares que el de satisfacer la curiosidad del prójimo poniéndole al tanto de *lo que pasa* —una curiosidad inextinguible, que procuramos mitigar, tan pronto queriendo sentir los pasos del destino en los acontecimientos de proyección universal, como ponderando chismosamente la conducta de nuestra vecina.

Sin duda, no otro fue —como digo— el propósito a que tales cartas respondieron en su día; pero en el de hoy, conservados esos textos en los archivos, no sólo pueden servirle al historiador para documentar o perfilar aquellos acontecimientos del pasado que son tema de su interés profesional, sino que, con su carácter de intimidad desembarazada, suministran también al sociólogo un conocimiento de la realidad viva en país y época determinados mucho más fresco, más rico, matizado y, sobre todo, auténtico que el ofrecido por la imagen «oficial» que se desprende de las manifestaciones públicas. Sacado a luz el oculto tesoro de tales informaciones, noticias, comentarios, rumores y murmuraciones, permite contrastar y rectificar los rasgos de la vida colectiva cuya fisonomía está falseada —idealizada— hasta cierto punto mediante la afirmación autoritaria de los valores vigentes en la comunidad. «Si pudiéramos salir volando por esa ventana cogidos de la mano —le dice Sherlock Holmes a Watson tomando la idea de *El diablo cojuelo,* conocido quizá a través de Lesage—, planear sobre esta gran ciudad, levantar los tejados suavemente y espiar las cosas raras que pasan...» Pues bien, la publicación de esos textos equivale a levantar los tejados de la verdad pública para observar la conducta efectiva de las gentes.

Ciertamente, existen otros medios para intentar esa conveniente rectificación de las apariencias. Ahí tenemos, por ejemplo, los cuerpos legales, decretos, pragmáticas, prohibiciones, sanciones, procesos y sentencias judiciales, que, para sostener la vigencia de los valores públicos, se afanan por corregir las desviaciones de la práctica social, y han de hacerlo en muchos casos con una reiteración que delata la frecuencia de las conculcaciones, y aun lo baldío del correctivo. La literatura artística misma, si por un lado exalta y exagera dichos valores, como ocurre, por ejemplo, con nuestro teatro del Siglo de Oro, por otro lado, en su vertiente satírica, pretende también a su modo corregir las costumbres, censurándolas, y carga las tintas del cuadro en sentido opuesto. Un cuidadoso análisis crítico puede restablecer el equilibrio reduciendo la realidad a sus términos efectivos. Mi estudio sobre «El punto de honor castellano» avanza en tal dirección. Pero aunque haya —como los hay— otros caminos para reajustar el conocimiento de la compleja y variada realidad social que late bajo los convencionales estereotipos, la contribución de los epistolarios privados es sin duda inapreciable. Una selección de noticias extraídas de ellos (cartas de los jesuitas a sus superiores, los Avisos de Pellicer, los de Barrionuevo...) utilizó Ortega y Gasset para respaldar su semblanza de Velázquez con una —también cargada— visión alucinatoria de la España de su tiempo. Pero el tiempo de Velázquez y el nuestro, la España de Velázquez y la nuestra, el mundo en que vivió Velázquez y el nuestro actual, tienen mucho más en común de lo que pudiera pensarse, porque la condición humana, aun siendo tan cambiante en tantos aspectos, permanece básicamente igual a sí misma un siglo tras otro.

Los tomos CCXXI y CCXXII de la Biblioteca de Autores Españoles de Rivadeneira contienen los *Avisos de Don Jerónimo de Barrionuevo (1654-1658,* y un Apéndice (Años 1659-1664) cuyo contenido, a diferencia de lo precedente, no es reproducción de textos autógrafos, por lo cual ofrece dudas al prologuista, A. Paz y Meliá, acerca de si es obra del mismo autor. Yo, por mi parte, no lo he examinado tan a fondo que me atreva a pronunciarme al respecto; pero para los efectos de mi reseña tampoco importa demasiado.

Paz y Meliá, en 1892, califica a estos Avisos de «especie de prensa periódica o fotografía instantánea», considerando a su autor «como el mejor representante del periodismo del siglo XVII, y es sabido —dice— el ascendiente e importancia de la prensa en nuestros días». Sin embargo, los avisos de Barrionuevo no eran noticias destinadas a imprimirse, sino cartas manuscritas dirigidas desde Madrid a un amigo suyo, deán de Zaragoza, cuya identidad se desconoce.

Siendo así, no estará de más tener en cuenta ante todo quién fue don Jerónimo de Barrionuevo, de cuya personalidad nos da el editor sumaria noticia. Pertenecía —nos dice— a una familia noble, y estaba tan orgulloso de su parentela como estos Avisos y otros escritos suyos evidencian. Pero dentro de esa nobleza, era un segundón reducido a vivir de una prebenda eclesiástica, y tampoco pretende disimular el resentimiento que le produce esta condición de menor privilegio. La aguda mirada que dirige sobre la sociedad a la que pertenecía, pero de la que quizá se sentía algo despegado, le procuraba una visión crítica, no amarga, sino divertida, burlesca del mundo en torno. Por sus ojos, podemos ver nosotros, tres siglos más tarde, el bullir y retorcerse de aquella sociedad, no cubierta ya bajo los tejados de la convención oficial, sino destapada por la mano de un malicioso Asmodeo.

Digamos, porque es muy cierto, que esa convención oficial, lejos de ser mera ficción aceptada sin mayores consecuencias por la gente, tiene al contrario una efectividad social tremenda. Si nos fijamos, como ejemplo de importancia primaria, en esa noción del honor que por antonomasia llamamos «calderoniano», tendremos que reconocer que su eficacia práctica ha llegado hasta nuestros días, y aún colea. En aquel ensayo mío sobre el tema, que titulé «El punto de honor castellano», me propuse subrayar el carácter compulsivo de efectos devastadores, lamentados a veces por el propio sujeto según podía ilustrarse en el mismo teatro de Calderón, con el contrapunto del envilecimiento obsesivamente reflejado en la literatura satírica cuya muestra más conspicua se encuentra en la obra de Quevedo. Los Avisos de Barrionuevo registran un caso en que aquella compulsión desencadenó un «suceso» del que nuestro periodista informa a su corresponsal en la «gaceta» fechada *Madrid y agosto 30 de 1656* bajo los siguientes términos:

En Granada, a don Juan Romero Valderrama, letrado famoso de aquella Audiencia, le han cortado la cabeza por la desgracia mayor que ha sucedido en nuestros tiempos. Parece ser que un día después de la Porciúncula había hablado en estrados en un pleito elegantísimamente, teniéndoles a los jueces muy afectos, en particular al Presidente. Sucedió que aquel día una monja, celosa de un fraile, le envió una empanada inglesa, pan de azúcar y nevada la cubierta. Era tan linda, que él la presentó a un caballero, y de mano en mano, llegó de unos en otros a la mesa del Presidente, que en viéndola, mandó se la llevasen al letrado, por lo bien que aquella mañana había andado. Halláronle comiendo con su mujer; estimóla con palabras corteses; fuese el que la trajo, y habiéndola abierto, halló dentro dos cuernos. Levantóse de la mesa, y con el cuchillo que tenía delante le dio de puñaladas. Murió sin culpa, que la ocasión fue grande, y nadie la tuvo sino el diablo que todo lo enreda. Otros disfrazan esto disculpando al Presidente, diciendo fue por haber la mujer aporreado a una señora amiga de su marido. Vm. ahora crea lo que mandare.

Nos encontramos, es claro, ante un caso —y caso real— de la honra, ante una tragedia del honor español, o castellano, tal cual se presentan en el teatro de Calderón, pero tragedia grotesca que, en clave de esperpento valle-inclanesco, está pidiendo el cartelón de feria. Con apretada concisión se nos comunican en esa noticia los hechos fatales: «la desgracia mayor que ha sucedido en nuestros tiempos». El protagonista ha sido un caballero y letrado famosísimo, que debió ser ejecutado con la dignidad correspondiente a su alta posición social. Nadie fue culpable de lo ocurrido, «sino el diablo que todo lo enreda». Pero dentro del marco de la tragedia, esa acción espantosa desencadenada por obra del diablo resulta ser, según es lo propio del diablo, una trama de comedia: la intriga amorosa entre una monja necia y un fraile que, al recibir un presente suyo, obsequia con él a otra persona, quien, a su vez, lo regala a un tercero, y así, «de mano en mano», llega «de unos en otros» por fin a las del protagonista de la tragedia, que lo recibe en premio a sus méritos de orador forense; y este caballero puntilloso cuyo honor no admite ni la sombra de una sospecha, engañado por la estúpida broma de la monja a su fraile, se precipita con obcecada ceguera hasta caer de cabeza en la ridícula trampa. El suceso espantoso y truculento donde mueren una esposa inocente y su calderoniano marido queda encerrado de este modo en el marco de una ridícula farsa. La función escalofriante del Destino ha sido cumplida aquí a través de una diabólica travesura, de una jugarreta del diablo, cuyas carcajadas burlescas serían el comentario adecuado al apresurado frenesí vengativo de este médico de su honra. Y todavía, para postre de su relato, nuestro particular periodista propone en manera oscura y sugestiva otra posible causa alternativa, no menos trivial, del grotesco desastre.

Pero junto a esa noticia con que los Avisos de Barrionuevo documentan en la realidad práctica de la vida social el carácter compulsivo que en casos determinados asumía la exigencia de ese pundonor «castellano» basado en la honestidad sexual de la mujer, no dejan tampoco de testimoniar, por otro lado, acerca de las conductas indignas —e indignantes— a que responde la nutrida literatura satírica contra maridos consentidores de la liviandad, o beneficiarios de la venalidad de sus cónyuges. Así, en la carta de 2 de febrero del mismo año 1656, informa entre otras muchas y diversas cosas:

> Dícese halló estos días la Justicia acostados en una cama marido y mujer y un fraile, que bailaban al pandero con un mismo son.

Completando la noticia más tarde, en carta de 18 de marzo, con los siguientes detalles, que tienen también un aire de divertido esperpento:

> Y el fraile que topó la Justicia durmiendo con marido y mujer, que dije a Vm. los días pasados, era agustino, y se llama fray Juan Ordóñez, hijo del doctor Ordóñez, médico de Su Majestad. Metiéronle sus frailes en un calabozo que venía a dar a un figón que está pegado a su casa y es del mismo convento. El cual, con un garabato de un candil y orinándose en un tabique, lo agujereó y se salió por allí a mediodía, habiéndose entiznado la cara primero con el humo de la llama y el que tenía la cazoleta de abajo. Saliéronse los moradores a la calle, viendo y creyendo fuese algún diablo, y él tras ellos con un mástil de grillos, que unos le tuvieron por pistola y otros por martillo. En efecto, él se escapó. Al marido y a la mujer han desterrado de los reinos. Llámase él don Pedro de Rosales y ella doña Francisca

Enríquez, de extremado parecer y de excelentísima voz, que les valió a los dos para no enfrentarlos [*sic*] por las calles, echando voz que no estaban en una misma cama. De estos sucesos pasan aquí cada día no pocos, viéndose monstruosidades, apareándose bueyes con mulas para que les ayuden a llevar la carga del matrimonio, que no es poco pesada. Vivían en la calle de la Encomienda, no lejos de mi posada.

El contraste entre las dos noticias que hasta ahora he destacado en los Avisos, una de ellas ocasionada por el extremo de un pundonor ciego e insensato y la otra por un escándalo de vil corrupción de costumbres, corresponden en la vida real a las dos corrientes literarias antes señaladas: la exaltación de los casos de honra, que Lope de Vega ponderaba como mejores para el teatro, y la sátira quevedesca contra los «maridillos», que viene a reforzar, castigando su conculcación, la validez de aquel principio de oficial vigencia, que —según yo lo entiendo— era eje de la vida nacional española en los llamados siglos de oro. La rigidez de tal principio, su carácter de exigencia incondicionada, que en situaciones como la del primer caso aducido podía conducir al más cruel disparate, debía de crear por otro lado tensiones insufribles y, dada la común fragilidad del temple humano, caídas estrepitosas en el relajamiento moral.

Si en aquella sociedad el honor masculino basado sobre la pureza sexual de la mujer no admitía ni la más ligera sospecha, igual pureza inmaculada se exigía a la fe religiosa de los españoles; y es bien sabido que, tras la expulsión o conversión forzada de judíos y moros, ahí estaba la celosa Inquisición para preservarlos con sus rigores de recaída o herejía. Quizá se ha exagerado el horror de su labor represiva. Cuantitativamente no fueron tantas sus víctimas a decir verdad; y en cuanto a los procedimientos judiciales que empleaba, eran los corrientes y normales de una época en que la tortura constituía el recurso legal para obtener la confesión de los delitos y en que el hurto de un pan merecía la pena de horca y la de hoguera las prácticas homosexuales. Lo especialmente abominable de la persecución inquisitorial es el principio mismo; y lo que no resulta exagerado es la afirmación del daño sufrido por la sociedad española a causa de su aplicación. Por supuesto que en aquel entonces no hubiera podido hacerse una crítica abierta de la política de la monarquía, pero ¿no envuelven una crítica implícita algunas de las noticias, y aun de las opiniones, que nuestro buen beneficiado Barrionuevo comunica al deán de Zaragoza, su corresponsal y amigo? Veamos lo que le escribe el 15 de noviembre del mismo año 1656:

Ayer habló el Rey al Embajador del Turco. Yo le vi y hablé con él. Es un hombre muy ladino, que habla mejor español que yo, de hasta sesenta años, alto de cuerpo, senceño. Díjome era hijo de un morisco y nacido en Badajoz, que de dos años, en la expulsión de todos, se fue con su padre a Argel.

Salió, en efecto, expulsado de España, para volver aquí, ahora, a hablar con el Rey como Embajador del Sultán de Turquía. Pensarían de esto lo que quisieran —¡quién sabe!— el beneficiado don Jerónimo y el desconocido deán.

No se había recatado en cambio el autor de los Avisos cuando, el 29 de mayo del año anterior dice lo que piensa al comentar otra de sus noticias:

Los hermanos Cardosos, que tenían las Salinas de Atienzas espartinas, el servicio ordinario y montazgo y otras rentas, de la noche a la mañana se han pasado a Francia, temerosos de la Inquisición. Dejaron ajustadas sus cuentas y una carta al Consejo de Hacienda diciéndole la ocasión de su ida, y que no debían nada, como constaba de sus libros, suplicándole tomase a sus hijos y mujeres bajo su protección, enterados de ser verdad de lo que le suplicaban. Dícese que, enemigos envidiosos de sus aumentos, les escribieron depositasen en tal parte tantos 1.000 ducados, y que si no lo hacían, les delatarían de judíos, y que se fueron en éste y otros asuntos al Inquisidor general, de que no hizo caso, con lo cual les pareció mejor dar salto de mata que estar en un calabozo hasta que se averiguase la verdad. Lo cierto es que si lo es lo que se dice que se estila en aquel Santo Tribunal de no castigar testigos falsos, porque nadie delataría si se hiciese, es terrible, y aun inhumana cosa, dejar al arbitrio de dos enemigos mal intencionados la vida, honra y hacienda del que puede estar inocente, como se ve cada día salir muchos libres de estos trabajos después de haber padecido tantas incomodidades y años de cárcel. Ténganos Dios en su mano.

Y todavía, en la carta siguiente, de 9 de junio, añade:

Los Cardosos se fueron a Amsterdam, y se llevaron 200.000 ducados en lanas, y 250.000 en oro. Dícese porque los quería prender la Inquisición, como en otras he dicho, y así van a buscar tierra donde se viva con más desahogo que en España, que por acá les dan muy malos ratos.

Más elocuente testimonio acerca de la situación, difícilmente podría hallarse. Ni —aunque no pública, sino sólo murmurada— opinión más terminante. La circunspección misma de que se usa («...si lo es [cierto] lo que se dice que se estila en aquel Santo Tribunal...») no sirve más que para acentuar el juicio que se desprende en forma inequívoca de los términos del relato, subrayado por la exclamación de «Ténganos Dios de su mano».

El malestar social que esta crítica no demasiado disimulada refleja no está limitado a ese particular punto. A través de las «noticias» que desde su propio tiempo nos transmite nuestro periodista privado —quien no era desde luego lo que hoy llamaríamos un ideólogo, ni un político práctico envuelto en las intrigas y ambiciones de poder, ni tampoco un marginado, sino un noble señor instalado en la comodidad y holgura de sus privilegios, aunque descontento de ser segundón en su casa— trasuntan, como no podía ser menos dado el estado catastrófico de los asuntos públicos, una generalizada situación de desconcierto, marasmo e insolidaridad social. Si los historiadores encuentran en los Avisos una fuente inapreciable, también el sociólogo interesado por los datos de fondo puede sacar de ahí un cuadro de fascinante elocuencia, ya que Barrionuevo reporta en sus cartas desde los asuntos de máximo alcance mundial hasta mínimos sucesos pintorescos o cómicos. Al terminar su carta de 15 de noviembre de 1656, repleta de noticias, anuncia a su corresponsal que va a remitirle por la estafeta un cierto libro, y le promete que «no habrá cosa curiosa, galante ni nueva que no la tenga luego allá, ni pronóstico que salga que no se le envíe, con que se puede divertir en ese desterradero, que no es poca dicha, a pie quedo, saber todo cuanto en el mundo pasare, malo y bueno, sin costarle trabajo ninguno». (Algo después, el 15 de noviembre, escribirá: «La estafeta que iba a Castilla la Vieja la han cogido antes de salir de Madrid. El para qué, Dios lo sabe. Con que es menester tener gran tiento con lo que se escribe. Fue miércoles 18 de éste. Abre el ojo».)

A pesar de todo, no extremará la prudencia en sus Avisos nuestro informador. Tenía el genio demasiado vivo, la mente demasiado crítica, el espíritu demasiado burlón. Y la situación en que estaba sumida España no podía haber sido peor. Desastrosa, para calificarla con una sola palabra. Todas las noticias militares eran malas noticias; la economía, exhausta; el gobierno, puro desgobierno... Los Avisos de Barrionuevo nos asoman a un país desmoralizado bajo un rey incapaz. Veamos a continuación unas cuantas muestras de lo que a este respecto le cuenta nuestro autor a su amigo el deán de Zaragoza.

Refiriéndose a un botín ignominiosamente capturado por los ingleses, escribe:

Dícese que envió Blac 1.050 barras del quinto a Cromwell, y que todos los demás han quedado poderosísimos. Supuesto que lo permite Dios, conviene así, no obstante que soy siempre de parecer que para que nos ayude es necesario que nosotros nos ayudemos, que también se cansa Dios de que cada día le pidamos milagros, dejando obrar las causas segundas muchas veces para castigo nuestro.

Con ocasión de un cumpleaños de la Reina, informa y comenta:

Hubo en palacio comedia nueva y otros festejos [...]. Y para esta Pascua, cuatro autores de los selectos han hecho cuatro comedias nuevas para mayor festejo de los años y de la Pascua. Lo que es fiestas, siempre las hay, y no en ver cómo nos hemos de defender de tantos demonios de enemigos que no nos dejan vivir.

Estas son críticas suyas, amargas y bien explícitas; pero también reseña las que, anónimamente, se manifiestan por vía de pasquines:

Lunes de Carnestolendas amaneció un pasquín en Palacio en el segundo patio. Todo era decir mal del gobierno... Y el lunes siguiente amanecieron en todas las partes públicas otros pasquines pintados, graciosos, sentado el Rey, pescando en una laguna. Decía la letra: *Pescador de caña, más come que gana.* Y su confesor con un bolso en la mano muy grande. Decía la letra: *Mi corazón es el bolsón...*

Y en seguida, claro está, la consiguiente represión:

Dícese haber preso a un pintor y otro oficial suyo por los libelos que se han puesto, que entre pintores se conoce el dibujo como la letra. Lo cierto es que eran muy agudos, picantes y por extremo pintados y coloridos, pareciéndose mucho todas las figuras a los originales.

La crítica del mal gobierno no era, sin embargo, sólo la anónima sátira de los pasquines, ni la que nuestro Barrionuevo y otros como él pudieran deslizar en el seno de la amistosa confianza, sino también la muy autorizada que los predicadores del Rey le dirigían en la cara. Tales, por ejemplo, las siguientes:

Domingo 7 de este predicó en la Capilla a Su Majestad descarada y crudamente en materia del mal gobierno, rematando el sermón con decir: «Préndanme; córtenme la cabeza, que yo cumplo con mi oficio, y he de decir la verdad.» Fue el que predicó fray Nicolás Bautista.

Todos cuantos predicadores hay del Rey parece que sólo se suben en el púlpito a predicarle y decirle mil pesadumbres [...] Y de estas cosas dicen que dijo millares, hasta que le hicieron señas que lo dejase, como lo hizo. Cierto que es demasiado arrojo y sobra de atrevimiento, si es así.

Y que lo era debieron de pensar los próximos al monarca, pues

Dijéronle al Rey desterrase algunos predicadores licenciosos que le habían predicado, y respondió: «Haréme más odioso con todos si lo hago. Dejadlos decir, que ellos se cansarán.»

Junto a amonestaciones tales por parte de osados clérigos, las murmuraciones debieron de crecer desde el nivel de rumor hasta casi el de clamor público, pues nuestro relator informa en un momento dado:

> Ha mandado el Consejo Real prenda las justicias a todos los que trataren del mal gobierno. No sé si acierta en no dejar desfogar la gente, que el arcabuz cargado es el que ofende y mata, y el descargado no.

La situación no era para menos. Tras uno de tantos descalabros como venían sucediéndose,

> Su Majestad salió el día del Corpus melancólico y con muchas ojeras a la procesión del Corpus. Si este golpe tan grande sirviese para hacerle abrir los ojos y recordar del letargo en que se halla y peligro manifiesto en que se ve por descuido de los que manejan estas materias, se daría todo lo perdido por bien empleado; pero si no, se puede temer nos amenaza una fatal ruina. Dios sobre todo.

Si comparamos el misceláneo contenido informativo de estos confidenciales Avisos del siglo XVII con el no menos variado de la prensa diaria en nuestros días, comprobaremos que existe una correspondencia bastante estrecha, casi un riguroso paralelismo, entre las preocupaciones de entonces y las de ahora, quizá porque en el fondo la gente es siempre la misma en cuanto a las preocupaciones comunes.

Entre estas preocupaciones comunes de entonces y de ahora destaca por encima de cualquiera otra la ocasionada por la marcha de los asuntos públicos; y en tal sentido las críticas que Barrionuevo formula por su propia cuenta y las que deja traslucir mediante sus noticias resultan elocuentes en grado sumo. Claro está que en un régimen de monarquía absoluta la información de política interna tiene por fuerza que ser parva, y aun más insegura, más basada en conjeturas, inducciones y especulaciones que la aportada por nuestros diarios en una democracia abierta. Incluso las medidas de gobierno y administración sólo eran conocidas por vías de rumor, o bien como resoluciones ya adoptadas y autoritariamente promulgadas.

Pero las noticias de política internacional y de guerra, sobre todo estas últimas, por cuanto tienen de fortuito y azaroso, y más que nada por su carácter de decisión del destino (o, si se prefiere, de la divina providencia), debían transcender en seguida y conmover los ánimos de los particulares. Noticias de política internacional y de hechos de guerra ocupan la atención principal de esa correspondencia privada, como ocupan el principal espacio en las páginas de nuestros periódicos actuales.

Sería inadecuada al propósito de esta reseña mía la tarea de recapitular aquí el material riquísimo que en este terreno suministra el remoto periodista privado, un material que —como dije antes— se ofrece de modo especial al trabajo de los historiadores; aun cuando, sin duda alguna, interesaría a la curiosidad de cualquier lector el desfile de las personalidades señeras de la época, ocupadas en algún quehacer, situación o actitud del momento: las andanzas escandalosas de la reina Cristina de Suecia, vestida de hombre y convirtiéndose en Roma al catolicismo; los continuos y devastadores asaltos navales de Robert Blake; las intrigas del cardenal Mazarino para casar bien a sus sobrinas, e incluso tratando de conseguir que una de ellas («aquella tan celebrada de hermosura en toda Francia») se casara con el propio rey («de quien se dice está muy prendado, y que él se la pone en todas las ocasiones a la vista para enamorarle más»); y sobre todo, casi como una obsesión, los movimientos e intenciones de Cromwell, el adversario tan temido, pero no menos admirado, «hombre altivísimo y el mayor estadista que se conoce, nacido sin duda con estrella regia».

Pero, como digo, esa presencia tan viva y actual que los Avisos nos transmiten de personajes alejados de nosotros por la distancia de la Historia, si bien es análoga a la que pueden ofrecernos las crónicas o las memorias escritas por contemporáneos, y aun las páginas amarillentas de los periódicos impresos en cuanto a figuras menos remotas en el tiempo, pertenece antes a la esfera del acontecer público que a las cosas de la vida privada. Incluso escenas tan curiosas como la que cuenta Barrionuevo el 11 de octubre de 1656, cuando dice que «no tiene el Rey un real» e ilustra su precaria situación económica refiriendo que «el día de San Francisco le pusieron a la Infanta en la mesa un capón que mandó levantar porque hedía como a perros muertos. Siguióle un pollo, de que gusta, sobre unas rebanadillas como torrijas, llenas de moscas, y se enojó de suerte que por poco no da con todo en tierra»; incluso escenas tan pintorescas como ésta tienen más valor de dato histórico que de revelación de las costumbres. Y precisamente son las costumbres que, destapando los tejados de la villa y Corte de Felipe IV, revela este diablo cojuelo cuyas cartas me divierto en repasar, lo que quiero destacar aquí.

Ha pasado el tiempo, la civilización material ha avanzado; pero con todos los progresos, la condición humana sigue siendo siempre la misma, y no debe sorprender demasiado que las noticias comunicadas por nuestro periodista particular del siglo XVII a su corresponsal de Zaragoza se parezcan muchísimo a las que hoy leemos en los diarios. Así, no falta en sus Avisos la información acerca de catástrofes naturales o de la meteorología, como por ejemplo:

Avisan también que en Lima hubo un temblor tan grande de tierra, que derribó la iglesia catedral y el palacio de los Virreyes, la Compañía de Jesús y otros edificios suntuosos; pronósticos todos de que el mundo se debe de querer acabar (4-10-1656).

Una vara de nieve ha caído. Yo apostaré que por allá han sido cuatro, y corre un aire de arrebata-caras; tiempo muy a propósito para las feas que desean mudarlas y parecer mejor (21-11-1654).

Ayer mañana, día de la Candelaria, amaneció Madrid con una nieve de media vara, y hace un frío que se las pela (3-2-1655).

Sevilla ha estado estos días para anegarse, y terraplenaron y calafatearon las puertas, subiendo la creciente casi a querer pasar de la almenilla (28-3-1657).

Etcétera. Tampoco faltan, por supuesto, los sucesos raros o pintorescos, con mero valor de curiosidad. Por no cansar con ello, me limitaré a reproducir un par de casos.

Hará veinte días que se puso a parir, según se dice, una mujer en la calle de San Antonio, y habiendo coronado la criatura y estando para salir, se retiró, y no ha nacido hasta ahora, pesándole, al parecer, de venir a un mundo tan malo. Hase tenido por agüero (7-3-1657).

Entre los agustinos y trinitarios ha habido en Salamanca grandes debates, llegando a las manos con los mayores de sus religiones a bofetadas y coces en los actos públicos, sobre si quedó Adán imperfecto quitándole Dios la costilla, y si fue sólo carne con lo que le llenó el hueco donde se la había quitado (28-3-1657).

Otro de los asuntos que en las cartas de Barrionuevo nos hacen recordar más las páginas de la prensa actual es el de la inseguridad ciudadana; y también respecto de él aportaré tan sólo unas pocas muestras.

En Sevilla, en la Casa de la Contratación, arrancaron una noche dos rejas y se llevaron un cajón de plata y catorce tejos de oro (8-11-1656).

No se puede vivir de ladrones, que a mediodía se entran en las casas a robar. Habrá cuatro días, en la calle de la Magdalena, al anochecer, nueve hombres entraron en casa de una viuda que tenía dos hijas, y después de haberse burlado de todas, la robaron más de 4.000 ducados; y ayer en la calle de los Tudescos, cogieron a un ladrón que se quedaba para abrir a media noche a la cuadrilla en una casa poderosa que hay allí. Las Navidades son terribles; los aprietos grandes, y cada día serán mayores (25-10-1656).

Noticias como éstas, u otras por el estilo —hurtos y robos, asaltos, estafas, falsificaciones de moneda...—, abundan en la correspondencia del beneficiado al deán.

Pero, aun cuando nuestro escritor no se abstiene casi nunca de apostillarlas con algún comentario propio —irónico, burlesco o en varias maneras divertido la mayor parte de las veces—, no son ni los fenómenos que, alterando el orden normal de la natualeza, afligen o consternan a la población, ni tampoco los delitos contra la propiedad o seguridad personal que perturban el orden normal de la sociedad, los que más pueden interesarnos ahora a nosotros ni llamarnos la atención sobre la similitud que presentan con aquellos que leemos en la prensa periódica de nuestros días, pues resulta obvio que las reacciones de la gente poco pueden variar frente a situaciones de cruda necesidad. Lo que en verdad sorprende es comprobar cómo se mantienen a lo largo de las centurias ciertas prácticas y pautas de comportamiento que están mucho más ligadas a los condicionamientos puramente culturales, sometidos al cambio histórico.

Al comienzo de esta reseña he reproducido la información de un caso —espantoso y grotesco— ocasionado por la vigencia del llamado honor calderoniano: el del abogado granadino a quien una equivocada imputación de cornudo obceca hasta el punto de asesinar en el acto a su mujer. Otros testimonios de esa vigencia contiene el noticiario privado que estoy explotando [1]. En cuanto a esto, si bien puede hallarse todavía hoy entre nosotros, de cuando en cuando, algún vestigio de la actitud y conducta que a tal concepto responden, en suma ha perdido ya su fuerza socialmente preceptiva. Quedará, como digo, acá y allá, algún que otro vestigio de aquel viejo concepto, pero cabe afirmar sin temor a contradicción seria que ha perdido ya por completo la incondicionalidad con que era postulado en el teatro del Siglo de Oro, aunque no, bien entendido, en toda la literatura de la época: mi estudio de «El punto de honor castellano» aduce dos textos, y nada menos que de Mateo Alemán en su *Guzmán de Alfarache* y de Cervantes en su *Persiles y Sigismunda,* donde semejante idea de la honra queda expresa y paladinamente desautorizada. La literatura de nuestro siglo la desacreditó por completo mediante el sarcasmo. Valle-Inclán, cuya deformación expresionista o esperpéntica de la realidad mencioné a propósito del abogado granadino de honor tan

[1] Otro ejemplo del mismo quisquilloso pundonor castellano, sacado de los sucesos de la vida real, sería el de un actor que, carente por su profesión, tenida en aquel entonces por vil, de derecho a consideración honorable, quiso atenerse, sin embargo, al código de la honra, tan exaltado en las obras teatrales que tal vez representaba: «A Adrián, autor de comedias, le ahorcaron en Barcelona porque dio veneno a su hermana Damiana y a un caballero que la trataba, muriendo por la honra el que nunca la ha tenido, con que acabó deshonrado» (19 de junio de 1655).

puntilloso como irreflexivo, y Ramón Pérez de Ayala con su novela *Tigre Juan* y *El curandero de su honra,* son dos autores destacados en la demolición de aquel vetusto y extraño concepto.

Pero ha sido, claro está, la transformación profunda de nuestra sociedad lo que por fin ha derogado unos valores de tan arcaico paternalismo, cuya plena vigencia en los tiempos de Barrionuevo estaba apoyada, de una parte, por la afirmación positiva del teatro, y desde el lado negativo no sólo por la represión legal sino también y sobre todo por la reprobación social a la que, sin duda, contribuía con eficacia la literatura satírica.

Ahora bien, esta literatura que podemos denominar quevedesca iba encaminada a castigar desviaciones que, precisamente por el rigor excesivo de la exigencia «calderoniana», debían de ser harto frecuentes, según confirman los Avisos de nuestro informador privado, en unos tiempos tan obsesionados con la preocupación del honor conyugal. Ya recogimos antes el divertido episodio del frailecito que ayudaba a una noble pareja a conllevar la pesada carga del matrimonio. A continuación seleccionaré un ejemplo más.

Han preso estos días por margaritón [ya veremos lo que esto significa] a Jerónimo Jordán, alguacil de Corte de vagamundos, por ajustador de partidas de su mujer e hija, que son de muy buen parecer, con lo granado de la Corte, dejándolas acompañadas al irse a rondar, y corriéndoles él las cortinas de las camas, y llevándoles chocolate por las mañanas. Hay contra él testigos oculares muchos, y examinados más de 30. Todo es trabajar en este mundo para poder pasar, tejiéndose las noches lo que de día se trama, y de esto hay muchos telares en Madrid (20-9-1656).

El autor de los Avisos es escritor —aunque no de primer orden— y, según sus cartas muestran, escritor satírico en la vena de Quevedo. Evidente resulta el regodeo malicioso con que refiere sucesos tales. Cuando llama margaritón al protagonista de este último caso quiere decir con ello alcahueta, refiriéndose a una carta de fecha anterior donde le hacía a su amigo el deán de Zaragoza un prolijo relato del que entresacaré algunos puntos:

...Encorozaron a la Margaritona, la famosa alcahueta que prendieron a las Siete Chimeneas, al abrigo del Embajador de Venecia. Así se llama. Tiene ochenta y ocho años. Desde los quince fue olla, hasta los cuarenta; de allí en adelante cobertera. [...] Dícese que le hallaron una graciosa cosa, es a saber: un libro de pliego entero, hecho de retratos, con su abecedario, número, calle y casa, de las mujeres que querían ser gozadas, donde iban los señores, y los que no lo eran también, a escoger, ojeando, la que más gusto les daba, donde se dice había gente de muy buen porte de todos estados, y zurcidoras de honras tan bien como de paños desgarrados (29-5-1656).

Nuestro relator califica de tragicomedia este episodio, que alcanza larga extensión y desarrolla otros detalles sabrosos y, algunos de ellos, bastante crueles, en su —por lo demás— dilatadísima carta; y aquí quería venir yo para que se vea hasta qué punto pueden persistir los modos y mañas de la conducta cuando lo que la gente persigue es, no realizar heroicos valores, sino que se trata —como decía él con referencia al caso antes mencionado— de «trabajar en este mundo para poder pasar», o más bien —diría yo prescindiendo de su irónico eufemismo— para satisfacer la codicia por cualquier medio, aun el más vil; pues es lo cierto que nuestra prensa actual trae con frecuencia noticias de policía donde se ponen al descubierto exactamente los mismos procedimientos que la Margaritona empleaba para explotar la prostitución. Cuando redacto estos apuntes, no hace todavía mucho tiempo que saltó al conocimiento público en los Estados Unidos el negocio, montado y regido con la misma técnica que en el siglo XVII empleaba esa anciana decrépita, por una hermosa y elegante muchacha de la alta sociedad, perteneciente a las más encopetadas, tradicionales y acaudaladas familias del país. En el terreno de estas actividades lucrativas no parece ser mucho lo que se ha progresado de entonces a acá. Nadie pensará que ha sido demasiado adelanto el de sustituir el recado a domicilio por la llamada telefónica, ni el libro de retratos (dibujados o pintados, que este pormenor no lo aclara Barrionuevo) por el álbum de fotografías, o incluso por el moderno vídeo.

Sería quizá cansado insistir más sobre lo ya dicho, mera corroboración al fin y al cabo del sabio y sabido apotegma salomónico según el cual no hay nada nuevo bajo el sol, ni aun —cabría añadir— en los oscuros y sombríos recovecos nocturnos. Nuestro diablo cojuelo, levantando los tejados de un Madrid que seguía siendo el de Vélez de Guevara, nos descubre un mundo idéntico en el fondo al de hoy y al de siempre. Bien es cierto que ahora no se castiga con la hoguera la práctica homosexual ni el bestialismo (de cuyos casos rebosan estos Avisos, y que su autor comenta con divertido regocijo); pero, igual entonces que ahora, los que administran la ley disciernen un trato distinto a quienes ocupan distintos niveles en el edificio social, aplicando así el principio aristotélico de la equidad que manda dar un trato igual a los iguales y un trato desigual a los desiguales. La misma carta que refiere el episodio de la Margaritona contiene materia abundante para comprobarlo, como en general todas ellas. En una de 5 de julio del mismo año se cuenta del duque de Alba que

> está ya desahuciado de médicos y cirujanos, por haberle dado en el sieso y héchosele una postema, de retención que le dio de unas purgaciones que le pegaron en este lugar quien menos pensaba; que los golosos en esta materia son como el gato, que una vez u otra les alcanza el palo. Dichoso Vm. que se ha escapado de esta peste viviendo con tanta integridad y pureza. En el cielo lo hallará el haberse abstenido del mejor bocado.

Y tras estas amables chanzas, días más tarde la feliz nueva:

El duque de Alba está mejor. Hubo junta de cirujanos, hallándole tan al cabo, que no le daban de vida más que un día. El padre Quintanilla, de Antón Martín, que es hoy general de su Orden, le metió por el sieso un dedo, y encontrando con la postema, le dijo: «A vivir o a morir, señor.» Y apretó hasta la vejiga tan a tiempo, que se le reventó dentro, comenzando a orinar materia, siendo esto contra el parecer de todos los demás que se decían se le había sólo de jeringar (12 de julio de 1656). Levantóse el Duque de Alba, viernes 14 de éste, bueno y sano, habiendo echado por la orina la postema milagrosamente, como dije, reventándosela el padre Quintanilla con el dedo por el sieso en la vejiga (19-7-1656).

El señor duque, a quien daban por muerto, le pagó generosamente al cirujano que lo había salvado, y ahora podría asistir ya, muy digno, a las próximas bodas de su nieta...

Ante los Avisos de Barrionuevo, o ante los de Pellicer y demás epistolarios y noticieros de la época, se pregunta uno —a uno le resulta inevitable preguntarse a poco que reflexione— cómo leerán acaso las generaciones venideras dentro de un par de siglos o tres nuestra actual prensa informativa. Si uno procura poner distancia y tomarla en perspectiva, se le impondrá la evidencia de que los disparates, locuras y despropósitos contemporáneos registrados en ella no son menores o quizás dejan atrás a los consignados en estos escritos antiguos. Y esto porque, como lo he dicho y repetido, la condición humana, pese al cambio histórico con sus espectaculares mutaciones, permanece siempre idéntica en el fondo a sí misma. De ahí que, si el historiador encuentra en escritos tales un material riquísimo para sus construcciones —o profecías— del pretérito, y el sociólogo una base igualmente próvida para establecer sus inferencias acerca de lo permanente y de lo accidental en las estructuras de la convivencia organizada, también ofrezcan sustancioso pábulo a la imaginación literaria empeñada en escudriñar a través de lo individual concreto aquello que radica en la eterna condición del hombre.

Este repaso de noticias del siglo XVII español evidencia que las conductas humanas ligadas a la condición natural son, en el fondo, inmutables, pero que, con eso y todo, se encuentran sometidas a modulación cultural. Por consiguiente, cuanto más cerca de los impulsos elementales está un acto, menos se diferenciará la conducta de quienes en épocas diversas lo ejercitan. Por supuesto, los actos movidos por necesidades biológicas, tales como aquellos que responden al apetito de alimentos o al sexual, son en su base idénticos, aunque su valoración y sus consecuencias sociales varíen mucho.

Es lo que ocurre, por ejemplo, con la sodomía y con el bestialismo, que hoy son mirados con indiferencia y prácticamente condonados por la sociedad, mientras que en aquellos tiempos constituían «el delito nefando contra natura», cuyo autor era condenado a «ser quemado en llamas de fuego».

Pese a que no faltan sino, por lo contrario, son numerosísimas las noticias acerca de la ejecución de esta atroz pena de muerte en la hoguera, el efecto intimidatorio de tan tremendo castigo debió de ser escaso, a juzgar por la abundancia con que se encuentran documentados los casos de homosexualismo, tanto en individuos que fueron efectivamente llevados al suplicio como de otros que, favorecidos por una lenidad debida a su posición social o a tales o cuales circunstancias, pudieron acaso sustraerse a él.

Como digo, los documentos acreditan que esas prácticas sexuales se hallaban en el siglo XVII quizá no menos extendidas que en la actualidad. Sin necesidad de acudir a otras fuentes, el propio Barrionuevo registra muchos casos. El 20 de noviembre de 1655 refiere, por ejemplo:

> El miércoles en la noche cogieron cuatro putos acostados de dos en dos en un jardín, al Barquillo, de un joyero de la calle Mayor de más de 60.000 ducados, que es el faraute de ellos, hombre muy galán. Este estaba con un ginovés y un golillero con un escribano. Vilos ayer encerrar para darlos tormento para averiguar más cómplices.

(La zona de Madrid a que se extendía la jurisdicción diplomática de Venecia cubría los alrededores de la calle Barquillo, y el embajador veneciano era, para aquellas fechas, persona que con decidida afición protegía diplomáticamente a los practicantes del pecado nefando.) O bien, el 13 de diciembre de 1656:

> Ayer cogieron un clérigo que venía proveído de Roma, y acababa de llegar de allá, acostado con un muchacho. En Rioseco prendieron a don Francisco de los Ríos, administrador de los naipes, con otro muchacho acostado en la cama. Era el hombre más galán que se conocía. Lleváronle a Valladolid, y la semana pasada le hicieron chicharrones.

En cuanto al bestialismo, el 10 de julio del mismo año había contado Barrionuevo a su corresponsal que:

> En Alcalá de Henares un hortelano de don Francisco de Vera, casado con una mujer moza y de muy buena cara, echando basura con una borriquilla que tenía desde el campo a la huerta, se enamoró de su bestia y se aprovechó de ella a mediodía. Fue visto y huyó. Prendiéronle en los toros de Guadalajara. De hoy a mañana le hacen chicharrones.

Y el 15, confirmaría en otra carta:

> Viernes quemaron en Alcalá al enamorado de su burra, y el mismo día vino aviso quedaba preso en las montañas otro que se echaba con una lechona. Como si no hubiera mujeres, tres al cuarto.

En otro orden de cosas, los excesos de la vanidad y el orgullo, que, manifestándose de diferentes maneras, son comunes y propios de la condición humana, variarán, si se quiere, en el modo de su manifestación, y tales diferencias van con la época, pero responden siempre al mismo resorte profundo. En lo relativo a los respetos sociales, ya en 1572 había establecido Felipe II «la orden que se ha de tener y guardar en los tratamientos y cortesías de palabra y por escrito». En una sociedad aristocrática y jerarquizada como era la española del siglo XVII fueron frecuentes las disputas, muchas veces de consecuencias sangrientas, por razón de un saludo deficiente, de cualquier descortesía, de una mera suspicacia. Los ejemplos de incidentes tales son innumerables. Para citar uno tan solo: en 1637 las cartas de los jesuitas informan, y las *Noticias de Madrid* corroboran con muchos detalles, de cómo el Conde de Salazar no quiso dar tratamiento de señoría a don Jerónimo del Pozo, quien, agraviado, le trató a su vez de merced; «y habiéndole topado en la calle Mayor, anduvo muy remolón en quitarse la gorra». A los pocos días,

> entrando el de Salazar en el Buen Retiro, el del Pozo estaba cerca de la puerta junto a él, y quitóle el sombrero, y el del Pozo se estuvo quieto, haciendo del divertido [esto es, distraído]. Llegóse a él el de Salazar y quitóle el sombrero de la cabeza, y le dio dos sombrerazos en el rostro y arrojóle al suelo, y metió mano a su espada. Acudió gente y separáronlos.

Etcétera.

Sucesos de este tipo, en que la soberbia nobiliaria defiende con ferocidad el rango privilegiado, con resultados más o menos graves, mortales a veces y, en ocasiones, revestidos de peculiaridades pintorescas y aun cómicas, llenan el anecdotario de la época. Hoy, en la nuestra de democracia igualitaria, hay menos ocasión de que se produzcan enfrentamientos semejantes.

En cambio, las insensateces de la vanidad reflejada en extravagancias del adorno personal encuentran en las modas de cada tiempo su más visible manifestación. Es sabido cómo menudearon en los llamados Siglos de Oro las pragmáticas acerca de la vestimenta, inspiradas en gran medida por el propósito de mantener las distinciones de categoría social, y en parte por motivos económicos, pero también para corregir autoritariamente las costumbres, en cuya vigilancia desempeñaba la Iglesia un papel decisivo. El padre jesuita Sebastián González le escribe al padre Rafael Pereyra el 29 de mayo de 1637:

> Estos días me dijo el padre confesor Aguado que le habían consultado de nuevo sobre el abuso de las guedejas y guardainfantes, y enseñóme un papel muy lindo que contra ellos tenía escrito, vituperando, como lo merece, una y otra superficialidad.

Mientras en las *Noticias de Madrid* se lee:

> El traje de los guardainfantes se usa con tanto desatino y exceso, que apenas caben las mujeres, de anchas, por las puertas de las iglesias.

Esa exagerada hinchazón de las ropas que vestían las damas retratadas por Velázquez, se afirma estaba extendiéndose también a las de estudiantes y licenciados. El 16 de febrero del año siguiente, otra de las cartas cruzadas entre los jesuitas cuenta de una corrida de toros en que uno de ellos rompió la puerta:

> Estaba en esta ocasión en la plaza una mujer tan ancha de faldas, que por ser de más embarazo embistió con ella y le dio un bote, con que el guardainfante y lo demás anduvo por el aire. Quiso su suerte que se embarazó el toro con el manto, y hubo lugar de soltar los alanos, que, haciendo presa de él, le detuvieron, y ella tuvo lugar de salirse bien aporreada, y más corrida de su desgracia por ir en cuerpo, sin tener con qué cubrirse.

¿Hará falta poner de relieve disparates indumentarios de nuestros días; o comparar quizá los afeites tan ridiculizados en las sátiras literarias del Siglo de Oro con el arreglo, pongo por caso, que exhiben los actuales *punks?*

LA MUJER ESPAÑOLA, ENTONCES Y AHORA

Los noticiarios de la época, de los que hemos ofrecido una muestra representativa, traen a la actualidad un cuadro bastante abigarrado de aquella sociedad barroca, donde podemos ver cómo la condición humana se debate dentro de la estrechez de vigencias oficiales demasiado opresivas.

Por cuanto se refiere a la mujer, resulta claro que, a diferencia de la imagen tradicional y convencional de la española (ese estereotipo perpetuado hasta alcanzar, ayer no más, su ridículo colmo en aquel pasodoble del período franquista cuya letra proclama: *la española cuando besa es que besa de verdad; a ninguna le interesa besar por frivolidad);* a diferencica, digo, de esa consabida, simple o simplona imagen, la realidad que nos muestra en sus documentos la sociedad del siglo XVII, sobre la que el estereotipo quiso basarse, es de una enorme diversidad de situaciones, actitudes y conductas. Ciertamente, el principio, la norma entonces vigente, establecía la autoridad indiscutible del *pater familias,* cuyo honor se vinculaba a la fama intachable de las mujeres colocadas bajo su dependencia; y esa autoridad era ejercida, omnímoda, sobre todos los miembros de la familia, pero de manera particular en cuanto se refiere al casamiento de las hijas.

La doctrina oficial era que al padre competía decidir acerca del matrimonio de la hija, y concertarlo, aunque, por supuesto, debiera recabar la conformidad de la interesada. Es una doctrina precisamente recogida y repetida en la literatura de aquel entonces, y bastaría para comprobarlo recordar los pronunciamientos de Cervantes a propósito del tema, como indiqué yo en mis clases del curso sobre *Continuidad y cambio en la sociedad española,* recomendando a los alumnos que fijaran su atención, por ejemplo, en los pertinentes pasajes del *Quijote.* Les hice observar al mismo tiempo que, aun cuando, en época moderna, la autoridad paterna en la materia fuera controvertida y rechazada con energía (piénsese, para España, en la famosa comedia de Moratín *El sí de las niñas*), y su vigencia haya sido sustituida desde el Romanticismo por la doctrina de libre elección de cónyuge según «los dictados del corazón» (matrimonio de amor frente a matrimonio de razón), el antiguo sistema de boda concertada en frío por la autoridad familiar ha funcionado desde siempre en todo el mundo con normalidad, dentro de muy diversos contextos culturales, y quizá con éxito mayor que nuestro «matrimonio de amor», en el que muchas veces se emparejan con resultados desgraciados personas de muy incompatibles caracteres y circunstancias. Y todavía señalé a mis estudiantes neoyorkinos el hecho de que, en la actual sociedad atomizada, parece abrirse camino un nuevo sistema de selección razonable de pareja con ayuda de los ordenadores.

Pero, volviendo al principio que estaba vigente en los Siglos de Oro: es bien sabido —pues ello corresponde a la condición humana— que quien tiene en sus manos la autoridad tiende con frecuencia a abusar de su poder; y sin duda así ocurriría de hecho —como también la literatura lo documenta— en multitud de casos reales. Ante una presión paterna desconsiderada, es de suponer que, o bien se doblegaría la voluntad de la hija renuente, o bien el ingenio, la astucia u otros recursos le ofrecerían manera de sustraerse a tiranía tan intolerable. Para ilustrar ante mis oyentes tales situaciones me valí, entre las muchas obras literarias de que hubiera podido echar mano, de la deliciosa comedia de Moreto *El lindo don Diego,* donde un padre ha resuelto casar a sus dos hijas con sendos sobrinos suyos, sin advertir siquiera de ello a las interesadas mismas hasta el momento en que sus prometidos se presentan a cumplir el compromiso. Las relaciones de jerarquía social propias de aquel tiempo se establecen muy claramente cuando el padre declara: *A Mendo, / hijo de hermana menor, / le quiero dar a Leonor; /y a Inés, en que yo pretendo / fundar de mi honor la basa, / para don Diego la elijo, / porque de mi hermano es hijo / y cabeza de mi casa.* Leonor acepta lo ordenado; pero Inés, que mantenía secretas relaciones amorosas con otro galán, al comunicarle por fin su padre que los pretendientes han venido «fiados de su palabra», le objeta, diciendo que: *...cuando yo he de estar / pronta siempre a obedecer, / no me debieras mandar / cosa en que pueda tener / licencia de replicar. / Y si me da esta licencia / el Cielo, y tu autoridad / me la quita con violencia, / casárase mi obediencia, / pero no mi voluntad...* El desenvolvimiento de la acción conducirá ahí a un feliz desenlace del conflicto. Otras piezas lo resuelven —siempre a favor de la hija injustamente coaccionada— mediante diversas artimañas de las jóvenes. *Marta, la piadosa,* en la comedia de Tirso de Molina, fingirá con hipocresía una vocación religiosa que no tiene, para así prorrogar la indeseada boda; *La dama duende* de Calderón, viuda sujeta a la autoridad de su hermano mayor, hará astutas escapatorias de la casa familiar; y otras heroínas, apasionadas o engañadas, pararán en la reclusión del convento, o acaso huirán del hogar en busca de su honor perdido. Es el caso de Rosaura en *La vida es sueño,* o de la Dorotea del *Quijote.*

Tanto la heroína calderoniana como la cervantina (y podrían agregarse en seguida *Las dos doncellas* de la novela ejemplar) aparecen vestidas de hombre. En verdad, toda la literatura de la época, tanto teatral como narrativa, está poblada de mujeres que bajo tal disfraz corren el mundo en procura de rescatar su honra. Es posible que la abundancia con que las vemos pulular en la comedia fuera debida —como alguien ha propuesto— al atractivo que para los espectadores tenía la oportunidad de apreciar en el escenario las formas carnales de las actrices bajo el revelador traje masculino; pero también se encuentran personajes femeninos disfrazados de varón en el teatro inglés contemporáneo de aquel nuestro, donde sin embargo los papeles femeninos eran desempeñados por hombres... De otra parte, no faltan datos históricos reveladores de casos reales tan señalados de mujeres travestitas como el de la reina Cristina de Suecia, que fue la sensación de su tiempo recorriendo las cortes europeas en atuendo masculino; y para España misma, quién no recuerda el de la famosa monja-alférez, doña Catalina de Erauso. Sin duda, estas hembras varoniles tan afectas a la vestimenta del otro sexo no respondían en su afición a la necesidad de rescatar el honor perdido, sino a una inclinación natural profunda, que por lo demás también alguna vez se encuentra reflejada en nuestro teatro: así, la doña Serafina de *El vergonzoso en Palacio,* maravillosa comedia de Tirso, confesará paladinamente y sin empacho:

No te asombre / que apetezca el traje de hombre, / ya que no lo puedo ser.

Lo dicho hasta aquí vale para las situaciones regulares, ajustadas a los principios vigentes; pero bien puede suponerse que su observación estricta sería excepcional en su ejemplaridad, y que —no sólo entre gentes de medio pelo, sino también en las altas esferas donde el rango social cohonesta muchas veces conductas más laxas— la conculcación de tales principios sería frecuente y tolerada. Ciertas anécdotas cortesanas que Brantôme, buen conocedor de España, refiere en sus *Vies des dames galantes* empleando la lengua castellana con que tanto se complacía, revelan un desenfado poco acorde con los patrones convencionales.

Por lo demás, y aun cuando se diesen, como se daban, casos extremados de fidelidad a la norma del honor, como el del abogado granadino cuya trágica precipitación refiere Barrionuevo, y aun otro, el del cómico que, estando en cuanto tal excluido de condición honrosa, vengó a costa de su propia vida la liviandad de una hermana, eran por contraste demasiado numerosas las situaciones irregulares: de ellas nos proporciona indicación copiosa la literatura satírica, mientras que los documentos arrojan por su parte puntual noticia. Encontramos representado en aquélla y en éstos el tipo de marido consentidor que se lucra de la liviandad de la esposa, o que la explota brutalmente; encontramos mujeres que viven de la prostitución propia o de la ajena, e incluso se nos da noticia de cortesanas a quienes rodea tal vez una cierta consideración social.

Por otro lado, en cuanto se refiere a la participación femenina en la esfera de la alta cultura, tampoco faltan en la sociedad española del Barroco ilustraciones elocuentes: baste mencionar la obra literaria de doña María de Zayas y Sotomayor, o el ambiente doméstico descrito por Lope de Vega en *La dama boba,* cuya hermana es una literata en la línea de lo que serían en Francia *Les précieuses ridicules.*

El contraste con la posición de principio que ocupa la mujer en la sociedad española contemporánea es radical; y son muy marcadas también las diferencias prácticas, a pesar de que la realidad es siempre muy compleja, y por lo tanto ambigua, en relación con los principios netos que en ella tienen general vigencia, y sobre todo está lastrada por el peso de viejos principios obsoletos que, ahora en calidad de prejuicios, se resisten a desaparecer.

A pesar de que esos prejuicios puedan subsistir en mayor o menor medida y tener todavía alguna que otra manifestación extravagante, el hecho es que en nuestra sociedad actual se encuentra reconocida y aceptada la igualdad de los sexos, y esto no sólo en el orden jurídico, donde se ha procedido a la eliminación de las subordinaciones legales a que la mujer venía hallándose sometida, sino también en la esfera de la conciencia pública. Las esporádicas manifestaciones del llamado *machismo* son hoy vituperadas o ridiculizadas entre nosotros, mientras que se excita a las mujeres a asumir una actitud de beligerante independencia, a veces con las exageraciones ideológicas de la militancia feminista. En la relación entre los sexos, la infidelidad de la mujer casada —y lo mismo cabe decir de la liviandad de una hija deshonesta— ha dejado de constituir ya un caso de honra que obliga al varón a limpiar con sangre su ultrajado honor. Cuando alguna vez tales conductas dan lugar a una reacción violenta, es más bien ahora como resultado de impulsos emocionales a los que uno y otro sexo están por igual sujetos, pero no ya en razón de imperiosas pautas sociales superimpuestas a la conducta espontánea del individuo.

Por supuesto, esta equiparación de hombres y mujeres en la esfera de los principios se funda sobre la estructura básica de una sociedad industrial donde los papeles sociales de los sexos apenas se encuentran ya diferenciados. La sociedad española se ha transformado rápidamente durante los últimos decenios hasta homologarse a la de los demás países de nuestra civilización moderna; y así, presenta en el terreno de la práctica, y por cuanto se refiere a la economía, al trabajo, a las relaciones interpersonales y públicas, a las instituciones y a las actitudes de la gente, los mismos rasgos que definen en su conjunto al mundo contemporáneo.

DESNUDISTAS EN EL MANZANARES

Trabajaba yo —y me divertía— con mis estudientes en el examen y comentario de tales y cuales informaciones, o *faits-divers,* transmitidas a través de los siglos por oficiosos periodistas privados, cuando saltó ante nuestra vista desde las cartas de los padres jesuitas una noticia pintoresca que nos hizo reír, y que me dio pie para escribir un artículo —periodista yo de hoy— en la prensa de nuestros días donde, volviendo sobre el propósito del curso académico en que estaba empleado (esto es, tratar de establecer, mediante un bosquejo de la realidad histórica de la España barroca, sus similitudes y diferencias con la actual), recordaba, entre otras cosas, lo que es bastante obvio: que toda sociedad humana, como histórica que por definición es, se encuentra sometida a cambio incesante; que toda sociedad humana cambia de continuo, y a mayor velocidad conforme se acelera el progreso tecnológico, impútense o no, en grande o menor medida, sus alteraciones a la acción de quienes en ella manejan las palancas del poder público. Y añadía:

«Lo cierto es que, gracias a mi avanzada edad, yo mismo he sido testigo de unas transformaciones que se remontan mucho más allá, no ya —por supuesto— del cambio que pueda haber traído ahora el gobierno socialista o el decenio de monarquía democrática, sino que saltando por encima del prolongadísimo período franquista alcanzan a la turbulenta República, a la previa dictadura de Primo de Rivera, y aun a las postrimerías del régimen liberal-conservador de la Constitución de 1876.

»Así, pues, mucha es el agua que he visto pasar bajo los puentes del escaso Manzanares, y bien puedo hablar por mí de los cambios sufridos —o gozados— por España durante este siglo que ya se encamina a sus finales. En cuanto al cuadro o imagen estereotipada de nuestro país, formada desde fuera y asumida por nosotros mismos, entiendo que mis lecturas, mi curiosidad, mis cavilaciones, pueden ayudarme a bosquejarlo para beneficio de mis alumnos.

»En este trabajo estoy metido. Después de haber procurado examinar con ellos el proceso de formación de esa imagen a partir de la interpretación que el romanticismo europeo, basándose sobre todo en nuestro teatro del Siglo de Oro, hiciera de aquella época española, estoy ofreciéndoles documentos varios donde cabe penetrar su efectiva realidad histórica, para que luego, aspecto por aspecto, puedan cotejarla con la que de nuestra realidad presente informan los documentos de la actualidad: periódicos, noticieros cinematográficos, etcétera.

»Lo más semejante en el siglo XVII a estos medios informativos son ciertas correspondencias privadas que, por su regularidad y su carácter misceláneo, permiten ser asimiladas a los periódicos que ahora se publican. En ellas se contienen desde noticias de guerra o de alta política hasta acontecimientos menudos de importancia local, o aun los sucesos pintorescos y curiosos de la vida cotidiana, todo lo cual se presta muy bien a establecer significativas comparaciones, deduciendo similitudes y diferencias.

»Para tal efecto he propuesto a mis estudiantes varias líneas de investigación, y, en ellas, todo aquello que, en diversos aspectos, se relaciona con el sexo. Es éste un campo donde, por razón de su inmediatez biológica, las actividades básicas no pueden diferir demasiado, pero sí, y mucho, las actitudes y valoraciones sociales más o menos conectadas con dichas actividades. Les invité, por ejemplo, a examinar en concreto el fenómeno, perfectamente datable, que en su momento se designó como el *destape,* haciéndoles notar el rigor sañudo con el que, durante el régimen franquista, se había querido hurtar la carne humana a la vista pública. ¿Quién no recuerda detalles curiosos, anécdotas grotescas de esa exagerada pudibundez que el celo clerical sostenía y atizaba?

»A decir verdad, el celo clerical contra ese tercer enemigo del alma que es la carne empezó a exacerbarse y tener efecto antes de que el franquismo pusiera a su servicio los instrumentos coercitivos del poder público. En plena República, tronó y prevaleció un famoso jesuita, el padre Laburu, pintoresco predicador que hasta diseñó un modelo de traje de baño destinado a desanimar cualquier mirada pecaminosa. Y en julio de 1935, habiendo invitado a veranear con mi familia en una playa gallega a dos primas mías, preciosas y muy devotas muchachas, llegaron provistas ambas del preceptivo modelito de bañador, que una de las hermanas no se atrevió a afrontar el ridículo de usarlo y antes renunció a las delicias de la playa, mientras que la otra, con más vocación de mártir, lo hacía en sacrificio por su salvación eterna. Poco más tarde, tanta honestidad se habría hecho oficialmente obligatoria, y una de las funciones de la policía consistió en preservarla.

Vino, en fin, la democracia trayendo consigo el destape, no sólo verbal sino también indumentario, y éste no sólo en el mundo del espectáculo, sino también en el campo abierto de la vida cotidiana. Sin embargo —y sobre ello debí llamarles la atención a mis estudiantes—, aunque en las playas españolas se exhiben con la más sumaria cobertura bellezas y fealdades, todavía el desnudismo integral sigue siendo cuestión polémica entre nosotros.

»¿Cuáles eran a este respecto las condiciones en aquella España de la Contrarreforma que el franquismo había querido restaurar? Al repasar una de esas correspondencias privadas de la época, que para aquel entonces pueden considerarse especie de periodismo particular, encuentro una carta bastante reveladora, y por cierto también de un padre jesuita, quien, desde la corte, le escribe a otro en Sevilla el 30 de junio de 1637 y, tras de muchas noticias de todas clases, le dice: 'Antes de ayer hubo aquí una tempestad de aire, la mayor que se ha visto en Madrid 40 años hace. Fue a las siete de la tarde, con tan gran extremo, que no había hombre que pudiese andar por la calle; coches se volcaron muchísimos, y se maltrataron, dando unos con otros con el ímpetu del aire. Los que estaban nadando, cuando salieron no halló ninguno vestido, porque el aire era tal, que los había esparcido por muy diversas partes y con gran confusión. Dicen fue de ver el reñir sobre las camisas, ropillas, sábanas, etcétera, y quedaron muchos *in puris naturalibus* por no hallar rastro de vestido. Duró poco espacio; sería de tres cuartos de hora, y si dura mucho, corriera grande riesgo toda la corte'.

»Esta noticia no podía dejar de traerme a la memoria algunos detalles de los vejámenes contra el río Manzanares que en aquella época fueron corrientes entre literatos y poetas; en particular, varios de los romancillos donde Quevedo despliega en delirantes juegos de palabras su asombrosa vena satírica.

»Refiere en uno de ellos cierto percance de la más asquerosa escatología, cuyos resultados obligan a que el protagonista se despoje de la ropa sucia, declarándose: 'Yo, tan de ropa aliviado, / que pudiera retratarse / un nadador, cuando acaba / de dejar a Manzanares'. En otro, titulado *Descubre Manzanares secretos de los que en él se bañan,* hace que éste, al que ha calificado de 'arroyo aprendiz de río', vea 'en verano y en estío / las viejas en cueros muertos, / las mozas en cueros vivos'. Denuncia el río: 'No todas nadan en carnes / las señoras que publico; / que en pesados abadejos / han nadado más de cinco'.

»Todavía en otro romance, describe Quevedo: 'Una doncella, que sabe / que se le ahoga su virgo / en poca agua, le salpica, / escarbándole a pellizcos. / Aun en carnes, una flaca / es el Miércoles Corvillo; / una gorda, el carnaval / con masas del entresijo. / Una piara de fregonas / renuevan el adanismo', etcétera; sin que, por supuesto, falten al espectáculo los mirones, quienes, 'galameros del atisbo, / echan el ojo tan largo, / gulusmeando descuidos'.

»Por último, otro romance de Quevedo relata con subida jocosidad un episodio de indecencia suma, en un día de terrible calor, a orillas del río. 'Encendióse mucho Menga / y, queriendo refrescarse, / dio con sus carnes al viento / y con su vestido al margen'...

»Como sólo me propongo aquí mostrar, mediante documentos literarios que confirman la noticia contenida en la carta del jesuita, cómo en efecto el desnudismo era practicado en el río Manzanares durante el siglo XVII, me abstendré de referir la frustrada confrontación de aquella acalorada moza con un bañista demasiado vetusto, y no copiaré sino el anticlimático desenlace del caso lamentable: 'Cansados al fin los dos / de mirarse y remirarse, / Menga se fue a sus basquiñas / y el vejete a sus pañales'.

»No deja de causar en todo caso cierta perplejidad la comprobación de que, en aquella España cuya Iglesia estaba fundida y confundida con el Estado, se practicara el desnudismo integral y las gentes pudieran bañarse *in puribus naturalis* en las modestas aguas de nuestro 'arroyo aprendiz de río'. Quizá el furor clerical se descargaba entonces sobre objetos de más seria entidad, descuidando el velar las desnudeces.»

Mi artículo se titulaba «Desnudistas en el Manzanares», y su intención era desmentir la noción corriente de que esa peculiar y acentuada pacatería burguesa heredada del siglo XIX y recrudecida en el XX por obra y gracia del franquismo, que se debió de padecer hasta que la moda de la minifalda irrumpió en España, venía de orígenes remotos. Habiéndolo leído, mi amigo Manolo Cerezales me llamó la atención sobre un párrafo de la descripción que el famoso mexicano fray Servando Teresa de Mier hace hacia 1818 de su viaje a España, donde escribe acerca de las costumbres madrileñas, y puntualiza el buen clérigo:

> En ninguna parte de Europa tienen el empeño que las españolas por presentar a la vista los pechos, y las he llegado a ver en Madrid en el paseo público con ellos totalmente de fuera, y con anillos de oro en los pezones. Lo mismo que en los dedos de los pies, enteramente desnudos, como todo el brazo hasta el hombro. Y ya que no pueden desnudar las piernas, llevan medias color de carne. En el Jardín botánico y en el paseo del Retiro, donde por no poderse entrar con capote ni mantilla, por ser Sitio Real, no entran los manolos ni nadie puede entrar en coche sino el intendente del mismo sitio, es donde se ven las mayores visiones. Las mujeres vestidas de diosas y sacerdotisas, o con un vestido tan ligero que se les señalan las más menudas partes de su cuerpo.

Como puede advertirse, el vigilante celo de las autoridades oficiales sobre el pudor y honestidad de los súbditos en materia vestimentaria ha oscilado en tiempos diferentes con los más variados criterios. Probablemente, el reciente *destape* no ha venido a sacar a la luz pública tesoros o escorias ocultos desde siglos remotos, sino lo que un oscuro contubernio entre el convencionalismo social victoriano y la ramplonería clerical de la misma época cubría al pudor de los honestos ojos burgueses.

LA GUERRA CIVIL: UNA RETROSPECCION

El mismo año de 1986 en el que, con mi curso de la New York University, me esforzaba yo por afirmar la realidad presente de España frente a la tradicional y convencional imagen que de ella ha tenido el mundo moderno, se cumplían cincuenta desde el comienzo de nuestra guerra civil, y diez desde que, agotada la dictadura que el desenlace de este conflicto nos impuso, está viviendo el país en régimen de democracia; el mismo año en que se ha integrado en las Comunidades Europeas, y en que ha confirmado por votación popular su adscripción a la Alianza del Atlántico Norte, es decir, en que por fin ha salido de su extravagancia histórica para instalarse en la normalidad.

En ocasión de mi curso, y conectado con él, la universidad neoyorkina decidió organizar un debate público acerca de aquella conflagración española con la que hubo de abrirse una nueva época de la Historia Universal; y a mí me tocó plantear el tema, como lo hice, señalando ante todo que, medio siglo después de los acontecimientos, soy yo uno de los ya muy escasos testigos que pueden rendir un testimonio adulto de aquella cruel experiencia colectiva, pues ella dio comienzo el mismo año en que mi edad alcanzaba los treinta. Había vivido mi niñez y adolescencia bajo el régimen de la monarquía constitucional, y mi primera juventud bajo la dictadura militar, la república y la guerra civil. El desenlace de ésta me lanzaría al exilio... En el momento actual —dije a continuación— entiendo será de más interés para quienes me escuchan que presente los hechos históricos desde mi perspectiva personal, que no que los construya con aquellas pretensiones de objetividad hoy ya cumplidas en la obra respetable de varios historiadores.

Para la época en que mi generación abría los ojos en España al orden de las realidades políticas, el vituperio contra el caciquismo se había hecho clamoroso. El caciquismo era la bestia negra que, campando en los predios de la vida nacional, y asolándolos, se nos señalaba con el dedo como responsable de todos nuestros males: había, pues, que exterminarla. Una vez eliminado el caciquismo, las diversas dolencias del país hallarían fácil remedio. Porque ese monstruo, criatura odiosa de la oligarquía, era el instrumento mediante el cual un régimen superpuesto a la realidad auténtica de España la falsificaba asumiendo su espuria representación.

Tal era el punto crítico de la campaña que venían llevando a cabo sucesivamente, desde fines del siglo pasado, los llamados «regeneracionistas», la famosa generación de 1898, y los miembros de la generación siguiente, cuyo más destacado nombre es sin duda el del filósofo Ortega y Gasset.

La crítica ejercida por esos hombres resultaba funcionalmente adecuada, aunque, por paradoja —según hoy ya puede verse con claridad— fuera ella misma la mejor prueba del éxito alcanzado por la Restauración contra cuyo régimen iba dirigida. La Restauración de la Monarquía en 1875 le había procurado en efecto a España, tras las continuas agitaciones de aquel siglo, un lapso de recuperación en paz y libertad durante el cual la sociedad había ido creciendo y reclamaba ya con urgencia una ampliación del ámbito de participación democrática.

Era ésa la España en que se desenvuelve el período de mi formación como estudiante y joven escritor. Aquellas generaciones precedentes, que trajeron a nuestra cultura lo que se ha llamado una segunda edad de oro, o al menos una edad de plata, habían propugnado, y por fin consumado, su programa de la «europeización de España», poniendo el país a la par de los más avanzados y, en algún respecto, con ventaja sobre los demás, ya que —para dar sólo un ejemplo de ello— la labor de traducciones efectuada bajo la dirección de aquellos intelectuales eminentes ponía a la inmediata disposición de los muchachos de entonces todo cuanto en el terreno de la ciencia, de la literatura y de las artes se producía, no ya en la vecina Francia —como ocurriera en tiempos pasados—, sino en cualquier parte del mundo. Así fue cómo se desarrolló la generación siguiente, a la que pertenece el grupo poético cuyo nombre más conocido es el de García Lorca. Esta generación —que no sé si es también la mía— alcanzó su apogeo durante la dictadura de Primo de Rivera, cuando la sociedad española exigía perentoriamente la ampliación institucional del ámbito democrático a que antes me referí.

Frente a tal demanda de la opinión pública, el rey Alfonso XIII hubiera podido acceder a una reforma, sometiéndose a un proceso constituyente en que probablemente se hubiese salvado la corona; pero optó en cambio por el golpe de Estado (1923), jugándosela en el envite. La perdió tras seis años de dictadura: en el de 1931 sería proclamada la República.

Quiero llamar la atención sobre esta fecha. En el plano de la política mundial España, encerrada en sí misma desde hacía un par de siglos, prácticamente neutralizada y limitada a responder sólo por inercia a impulsos externos, no podía sin embargo dejar de sentir en su situación interna las repercusiones de la situación mundial. Y el mundo se encontraba entonces —recuérdese— sufriendo los efectos de la depresión económica, y bajo la creciente amenaza del nazismo, a cuyo nacimiento hube de asistir yo como estudiante graduado en Alemania, y frente a cuya amenaza retrocedían, desmoralizados, los países de gobierno democrático-liberal.

En contraste con esto, y justo en el momento menos oportuno, surgía la República española con una verdadera eclosión de entusiasmos populares. Por lo pronto, su implantación produjo el deseado efecto de ensanchar institucionalmente el campo de la democracia. Tanto en sus Cortes Constituyentes de 1931, dominadas por los partidos de izquierda, como en las siguientes, elegidas en 1933, con fuerte mayoría derechista, se hallaban representadas tendencias políticas que, por uno y otro flanco, habían estado excluidas del Parlamento en la era de la monarquía anterior. Así, la joven República, no estabilizada todavía, fue tan sólo el campo de confrontación de tendencias político-sociales que pugnaban hacia un reajuste y nuevo equilibrio en el área nacional.

Una de tales confrontaciones sería lo que diera ocasión para la guerra civil. El decidido apoyo de las potencias del eje Berlín-Roma a las fuerzas sublevadas contra el gobierno legítimo de la República, y luego el apoyo —cauteloso e insuficiente, aunque no menos interesado— de la Unión Soviética a las fuerzas que la defendían, convirtieron lo que de otro modo bien hubiera podido ser episodio rápidamente liquidado, en una guerra de casi tres años.

Esta guerra intestina tuvo, sin embargo, una transcendencia internacional verdaderamente extraordinaria. Los ojos del mundo entero estuvieron durante el tiempo que ella duró clavados en España; nuestra guerra era vista y sentida en todas partes como una lucha de principios, mucho más netos y definidos ahí que los contrapuestos luego en la Segunda Guerra Mundial a la que ella había servido de prólogo y general ensayo.

El modo vergonzoso con que los gobiernos de los países democráticos abandonaron al comienzo, y por último ahogaron, a la República española, sumiría a su pueblo, en medio de la ruina total a que la larga contienda lo había condenado, en una actitud de amargo resentimiento. El régimen entonces instaurado en España con la complicidad de unos y la anuencia de otros era un absurdo anacronismo, que, prevalido del aislamiento en que se le mantenía, intentaba restaurar en pleno siglo XX una triste y ridícula parodia de la España de los Habsburgos. La tremenda represión política llevada a cabo por las autoridades del bando triunfante sobrepasaba en extensión, duración y crueldad los límites de lo imaginable; mientras que la cultura, que tan vigorosa había florecido durante los tres primeros decenios de este siglo, quedó reducida por lo pronto bajo su régimen a la torpe y brutal dominación de una Iglesia que no toleraba otro pensamiento sino el medieval tomismo rutinario. (No hay que olvidar que la mayor parte, y desde luego lo más distinguido, de la intelectualidad española debió abandonar el país a consecuencia de la guerra, o quedó silenciada, en exilio interior, dentro de sus fronteras.) Esto, al tiempo que Alemania e Italia, derrotadas, recibían de sus antiguos adversarios la ayuda que había de convertirlas pronto en países de asombrosa prosperidad...

Sólo veinte años después de terminada nuestra guerra civil, y cuando el régimen franquista, forzado por la estricta necesidad, se vio obligado a consentir un cierto grado de liberalización económica, la sociedad española empezaría a transformarse, iniciando con enorme vigor el proceso de su recuperación.

Este proceso ha sido laborioso, pues el crecimiento y transformación económica del país tuvo que ir forzando paso a paso las estructuras dictatoriales de un sistema totalitario, hasta llegar a ser la sociedad española —medio siglo después de empezada la guerra civil, agotado al fin el régimen que ella trajo consigo y muerto el longevo dictador— lo que es hoy: una sociedad moderna, industrializada, democrática, y en todo comparable a la de cualquiera otra de las naciones que comparten la civilización occidental. El pueblo español ha recobrado rápidamente y con gran energía el nivel de vida material y espiritual de que la guerra civil lo había despojado.

LA JOVEN DEMOCRACIA, PUESTA A PRUEBA

Durante los diez años que la democracia lleva funcionando en España, ha sufrido serias y numerosas pruebas; pero dos de entre ellas han tenido importancia mayor: el asalto al Congreso de los Diputados del 21 de febrero de 1981, y el referéndum del 12 de marzo de 1986. La primera, en que la desaforada intentona hubiera podido triunfar pese a su carácter grotesco y a sus catastróficas perspectivas, fue superada en virtud de la actuación regia, refrendada, eso sí, calurosamente por una imponente manifestación popular. Salvado el peligro y pasado el susto, mi personal reacción se concretó en un artículo, entre diatriba y admonición, que publiqué en la prensa bajo el título de «Libertad ¿para qué?», y cuyo texto reproduzco a continuación:

«Seguimos en libertad, es cierto; pero ¿libertad para qué? Al repetir, aquí y ahora la pregunta famosa que, como respuesta, diera en su día Lenín a nuestro don Fernando de los Ríos, la descargo de sus densas implicaciones polémico-doctrinales y la reduzco al plano de la más doméstica cotidianeidad para echar mi cuarto a espadas en el asunto de que todos hablan y —no sin motivo— seguirán hablando todavía durante algún tiempo. Al fin y al cabo, uno pretende ser un literato, nada menos que un intelectual; y los intelectuales tenemos que escribir y publicar nuestras opiniones reclamando así de los demás la importancia que nos otorgamos a nosotros mismos; llamar en todo caso la distraída atención pública, esforzarnos en ser gentes de viso, ponernos en evidencia... Por eso, apenas vuelto uno en sí del susto, se tienta la ropa, comprueba con alivio, con satisfacción, y hasta si se quiere con cierta dosis de desencanto; comprueba uno —digo— que en efecto seguimos en libertad, y se dispone —pues es nuestro oficio— a hacer cada cual su correspondiente pirueta, dándole a conocer al mundo lo que sobre el notable asunto se le ocurre.

»Yo debo confesar que, en las horas peligrosas de la crisis, y cuando la pelota estaba en el tejado, lo que a mí se me ocurrió, puesto en lo peor, es que quizá podría aplicarme a redactar en el tenebroso porvenir, y bajo la forma de tebeo —que es la que en literatura parece imponerse definitivamente—, unas *Aventuras del intrépido capitán C. O. Jones en el país de Babia, con el filósofo oriental Chin-Gon y sus ayudantes Ye-se-tu y Ye-man-fu,* donde, usando el elocuente lenguaje tarzanesco, podría lograrse un sentido equívoco, susceptible de muy varias interpretaciones, mediante la ambigüedad a que se prestan estos seudocriptogramas populares hoy tan en boga. ¡Fantasías de la mente turbada frente a la amenazadora inminencia! Pero, en fin, olvidemos ese absurdo proyecto, puesto que en libertad seguimos.

»Seguimos, sí, en libertad, pero, ¿libertad para qué? Los muchos españoles que en su vida adulta no habían tenido antes la experiencia de la libertad política, mal pudieron imaginarse que ésta, como parte que es del libre albedrío concedido a la criatura humana, es un regalo de peso casi insoportable, pues comporta una responsabilidad exigente en grado sumo. Viviendo en régimen de libertad política nos son negadas muchas sutiles confortaciones del despotismo: el deleite casi morboso de la queja secreta; el abandono de la propia voluntad impotente en manos providenciales; la actitud de crítica cerrada (es decir, de crítica acrítica); el aplauso incondicional (esto es, también acrítico) a los liberadores profesionales sin entrar a examinar sus designios últimos o las últimas consecuencias de sus actos; y, sobre todo, la ilusión utópica de un mañana feliz, en plena, armónica y completa libertad.

»Como, según se dice, no hay mal que por bien no venga, el frustrado golpe puede haber servido para despertar el sentido de la responsabilidad en muchos que, al levantarse la veda, se emplearon alegremente en arrasar el coto antes cerrado, cooperando con ciega inconsciencia en su tarea destructiva a los esfuerzos que, en uso de la odiada libertad, hacen por recuperar su monopolio los antiguos dueños de la finca.

»De los políticos no quiero hablar, aunque bien pudiera; cada cual atienda a su juego. Los políticos actúan agarrados a la realidad inmediata y más urgente, y si pierden contacto con ella, el batacazo les aguarda. Hablo de los intelectuales, a cuyo gremio pertenezco. Y me refiero en particular, no a aquellos que, enemigos de la libertad, la aprovechan para combatir sus instituciones, sino a los que de buena fe y con laudable entusiasmo creyeron durante un período que toda era poca, que todo el monte era orégano, aplaudiendo o cohonestando con el silencio las muchas tonterías que —acaso peor la tontería que el crimen— se cometen (digámoslo, remedando también otra frase histórica) en nombre de la libertad; y luego, al ver que con ésta no se ha entronizado el soñado paraíso, se declararon defraudados.

»La experiencia ha venido a enseñar a quienes no quisieran aceptarlo, y el frustrado golpe de Estado de este febrerillo loco es advertencia contundente, que no hay paraíso en la Tierra, y que a final de cuentas bien podemos sentirnos contentos de vivir —y poder dar señales de vida— en esta democracia calificada por algunos con estética exquisitez de aburrida, desangelada y torpona. Pues ¿dónde está escrito que la democracia haya de ser una fiesta continua y la libertad un desbordamiento sin límites? Libertad y democracia ofrecen, en cuanto hasta hoy muestra la Historia, el menos malo de los sistemas políticos, el que mejor garantiza la convivencia general, aquel en que la autoridad, sin abdicar de sí misma, reduce a lo indispensable la coacción del poder público, permitiendo así que cada cual según el propio talante se edifique su propio paraíso o su propio infierno privado».

El referéndum

En cuanto al referéndum, era a todas luces una iniciativa absurda e insensata cuyo resultado hubiera podido conducir a una crisis institucional muy grave si acaso el voto popular, movido por incitaciones demagógicas, contradecía la posición que de manera casi unánime acababan de adoptar en el parlamento los partidos políticos. El socialista, que desde la oposición se había declarado contrario al ingreso de España en la Organización del Tratado del Atlántico Norte prometiendo irreflexivamente, si accedía al poder, celebrar un referéndum con vistas a abandonarla, pero cuya experiencia, una vez instalado en el gobierno, le había persuadido en contrario, se obstinó sin embargo, queriendo así salvar la cara, en efectuar la prometida consulta, y fue adelante con ella, aunque embarcado esta vez en una postulación, por lo demás innecesaria y ambigua, a favor de la permanencia. En vista de lo cual, los partidos que constituían ahora la oposición, declarados y firmes partidarios de que España permanezca en la OTAN, decidirían, no obstante, aconsejar a sus votantes, con la evidente finalidad de castigar al adversario político, que se abstuvieran de acudir a las urnas.

A propósito de la cuestión planteada, y tomando al sesgo, como pretexto, unas declaraciones del presidente del gobierno al diario EL PAIS, escribí yo y publicó ese mismo periódico un artículo titulado «La ética de las responsabilidades», al que poco después añadiría otro, «Constitución y fuerzas armadas», siempre con el designio de incidir por vía indirecta sobre el asunto. Decía en uno y otro:

La ética de las responsabilidades

«En estos días, cuando está haciéndose el balance público de los diez años transcurridos desde la muerte de Franco, me parece oportuno que un viejo observador de la historia contemporánea —de la historia de España dentro del marco de la historia universal— ofrezca sus particulares puntos de vista sobre un tema que a todos nos concierne, apreciaciones en todo caso favorecidas por la virtud, o quizá perjudicadas por el inconveniente, de no responder a otro compromiso que el de una absoluta sinceridad.

Según yo lo veo, lo que fundamentalmente significa este decenio es el proceso acelerado por el cual los españoles están asumiendo al fin, como entidad colectiva, la realidad de su posición en el mundo, y así desprendiéndose —como entidad colectiva, repito— de las falsas y tan nocivas ilusiones en que durante tan largo tiempo habían estado, y de las que habían vivido una vida fantasmal.

Cuando, a poco de establecerse la democracia en nuestro país, se habló con insistencia del desencanto, me permití señalar lo obvio: que para desencantarse era necesario haber estado previamente encantado; y pensé en mis adentros que, en efecto, España había sido víctima de un prolongadísimo encantamiento; que había sido una bella durmiente, inerte y ajena en su urna al mundanal acontecer. Varios de mis estudios, entre ellos un librito de 1965 al que no se le permitió circular aquí entonces, intentan analizar desde diversos ángulos la singularidad del destino histórico que cifro en esa imagen; pero en la ocasión presente no podría insistir sino en el aspecto de la neutralización —y marginación consiguiente— sufrida por España a partir del tratado de Utrecht, y de los efectos producidos por esa situación sobre el ánimo y la mentalidad de los españoles.

Que un Estado político pierda la categoría de gran potencia, como le ocurrió a nuestro país por aquellas fechas, para pasar a convertirse en satélite de otros astros mayores no es, por cierto, caso excepcional, sino, al contrario, siempre repetido; como no lo es el que, mal resignados a aceptar esa realidad, quienes lo gobiernan se aferren a la ilusión de una desvanecida grandeza. ¿Acaso no estamos viendo ahora cómo Francia quiere gallear de fuerza atómica tras haber mostrado su incapacidad militar en guerras sucesivas, y con qué exceso de soberbia respondió el Reino Unido al gambito de las Malvinas en una guerra que, así y todo, no hubiera ganado sin el apoyo norteamericano? Y ambos Estados, destituidos de sus respectivos imperios, ¿no están impidiendo con sus pretensiones de imposible preeminencia que Europa se constituya en el cuerpo político capaz de quebrar la peligrosa pugna de las actuales superpotencias? Pero dejemos a cada cual con sus locuras, y volvamos a considerar nuestro caso.

Según yo lo entiendo, lo que éste tiene de singular es —expresado en la forma apodíctica que la ocasión consiente— que, coincidiendo con la postrera fase de la desintegración de nuestro imperio, la ideología nacionalista, fuerza motriz de la política europea desde comienzos del siglo XIX, vino a superponerse aquí al tradicional integrismo, reforzándolo y haciéndolo un poco delirante, aun en sus manifestaciones excelsas, como lo son muchas de las actitudes de la generación del 98; y eso, en un país privado de iniciativa histórica.

La consigna, para esas manifestaciones de alta calidad espiritual, era *adentramiento;* o sea, en verdad, el ensimismamiento, el aislamiento resentido y engreído; para el vulgo, un orgullo necio, con aparente y, en el fondo, envidioso desprecio de lo ajeno.

La segunda gran guerra viene a destruir el orden de los equilibrios internacionales europeos que habían llenado la Edad Moderna, creando un espacio y una oportunidad para la reinstalación de España dentro de un nuevo orden mundial; pero sólo ahora, con cuarenta años de retraso —los años de la dictadura franquista— empiezan por fin los españoles a reintegrarse al tiempo histórico, cuando todavía no ha podido alcanzarse una organización viable de las relaciones de poder en el planeta. En virtud de ese retraso mismo, el proceso de nuestra adaptación a la realidad, de nuestra incorporación activa al juego de esas relaciones —y me refiero sobre todo a la adaptación psicológica, no tanto institucional— está cumpliéndose con ritmo acelerado y admirable madurez, aunque, desde luego, no sin algunos tropiezos, que en el balance del decenio están saliendo a la luz pública para ser discutidos. Airearlos es una buena práctica de higiene mental, y contribuirá a evitar que se repitan.

Al hacerse dicho balance, es claro que deben adquirir muy especial relieve las declaraciones vertidas por el actual presidente del Gobierno a través de diferentes medios sobre su propia experiencia de gobernante. Quisiera recoger aquí algunas de las palabras que autorizó en la entrevista concedida al director de este periódico. Dijo ahí, entre otras muchas cosas, que «hemos pasado de una fase de acumulación ideológica extraordinariamente fuerte a una fase de responsabilidad en la gestión de los asuntos: hemos dado pasos de la ética de las ideas a la ética de las responsabilidades, en expresión weberiana». Leyéndolas, sentí regocijo al comprobar que este nuevo hombre de Estado se apoyaba en sólidos conceptos de quien diera orientación al pensamiento sociológico-político de mi ya hoy vetusta y casi extinguida generación universitaria, el eminente Max Weber; pero me regocijó sobre todo la honestidad de la confesión de Felipe González, a pesar de hallarla cautelosa, tímida y en exceso circunspecta. De ningún modo me parece a mí que reconocer la realidad, aceptarla y atenerse a sus imperativos para actuar sobre ella —«ética de las responsabilidades», en palabras de Weber hechas suyas— implique haber abandonado la ética de las ideas —«acumulación ideológica»—, porque desgraciadamente no se han creado en nuestro siglo ideologías, sistemas de pensamiento, capaces de interpretar las condiciones de la sociedad actual y de promover las instituciones que sirvan para manejarla. Es, por lo contrario, demasiado evidente que las transformaciones profundas operadas en ella por las etapas sucesivas de la revolución industrial no han dado lugar hasta ahora a una correspondiente filosofía sobre la cual fundar el orden de las relaciones interhumanas. Seguimos valiéndonos de las instituciones políticas originadas en el pensamiento del siglo XVIII, y repitiendo maquinalmente ideas que no tienen ya mucho que ver con nuestras realidades básicas. Así pues, a lo que se renuncia para asumir la realidad de nuestro mundo contemporáneo adoptando la ética de las responsabilidades no es, por cierto, a la ética de las ideas (¿dónde se encuentran hoy en el ancho mundo esas ideas vivas susceptibles de una efectiva encarnación social?), sino a espectros de ideas muertas, a *revenants* ideológicos, con los que aquí, en nuestro país, pudo jugarse en el vacío creado por la dictadura para combatir, aunque fuesen herrumbrosas espadas, contra el régimen, pero de aplicación nula a una sociedad avanzada, a esta sociedad de la más alta tecnología. Rutinariamente y a falta de mejor, siguen usándose sin convicción en el mundo esas espadas herrumbrosas, más que nada en calidad de elemento decorativo. Pero véase lo ocurrido aquí en España al desmoronarse el artilugio del régimen franquista: aun la postrer corriente europea de pensamiento político-social auténtico, el marxismo, que con todo su vigor intelectual no supo, sin embargo, producir en ninguna parte instituciones idóneas, y que entre nosotros movilizara a la oposición clandestina contra la dictadura, se ha volatilizado con la desaparición de ella, y si el partido socialista renuncia al título de marxista, el partido comunista se ha hecho pedazos.

Insisto, pues, en que el supuesto sacrificio de convicciones ideológicas en aras del pragmatismo no es, en verdad, sacrificio tal, puesto que las víctimas propiciatorias —esas ideologías decimonónicas— eran ya cadáver exangüe. Ante la carencia de un aparato intelectual sistemático y articulado que permita interpretar la realidad presente con perspectiva de futuro —¡qué remedio!—, sólo la buena fe y el buen sentido, y la humana intuición de lo justo, digno y conveniente, pueden guiar la conducta política en el gobierno de la comunidad.

Pero para atinar en esta disposición pragmática obedeciendo los dictados de la ética de las responsabilidades será necesario —y en ello estamos— desprenderse de muchas engañosas fantasías incubadas en nuestro ánimo por la plurisecular segregación del mundo histórico —o aislamiento internacional— en que hemos vivido, y que tras la guerra civil acentuó al extremo el régimen franquista. Empeñado este régimen en restablecer la imagen de la España eterna, la España celestial (Unamuno *dixit)* o esencial, erradicando de su suelo como anti-España cualquier conato de modernidad, los españoles, en la enajenación de su secuestro, o bien comulgaban en la imposible utopía, o bien quienes no podían tragarla se aplicaban a construir por su parte sobre la base de aquellas periclitadas ideas otras imprecisas utopías, mientras que —¡extraña ironía del destino!— las forzosidades de la economía, en fascinante combinación con ciertos rasgos del autoritarismo imperante, daban ocasión a que la sociedad española, a favor del reflujo de la prosperidad mundial, experimentara una transformación interna más profunda de lo que se habían atrevido a proyectar en su día los programas de reforma de la derrotada y denostada República de 1931.

En efecto, las estructuras económico-sociales de España se habían modernizado hasta el punto de homologación con las de los otros países europeos, y esto bajo el caparazón arcaizante del régimen franquista. Ello explica la fácil transición hacia la democracia, que advenía como fruto maduro que se desprende del árbol, cuando, en el plano de las representaciones mentales, seguían los españoles instalados en lo mitológico. «Desmitificar» fue en aquellos momentos, y no en vano, la consigna, el verbo que estaba en todos los labios. Cayeron, por lo pronto, las más vistosas, ostensibles y externas preseas de la mitología franquista —aunque en el fondo persistiera, y persista, su poso—, pero se levantaron y afirmaron los mitos de las ideologías que manteníamos en reserva. Por lo pronto, y para empezar, el *mito* de la democracia y de la libertad política. No hay duda —o al menos yo no la tengo— de que democracia y libertad política es no sólo el régimen de gobierno más apropiado a nuestro nivel de civilización, sino también el que, en términos absolutos, mejor responde a las exigencias morales de la dignidad humana. Pero de su implantación se esperaba, con utópica esperanza, el remedio súbito de todos los males y el cumplimiento de la felicidad universal. El milagro —claro está— no se produjo, y en seguida vino el inevitable *desencanto*.

Algo parecido está ocurriendo en estos días a propósito del cambio ofrecido por los socialistas en su programa electoral. Pues ¿qué era lo que se esperaba?, ¿que la sociedad real se transformara en una sociedad ideal, perfecta? Otra vez el mito; otra vez la expectativa del milagro. Pero los gobiernos carecen de poderes taumatúrgicos, y cuando intentan implantar la utopía no suelen obtener, a costa de catástrofes dolorosas, sino resultados mínimos y, con demasiada frecuencia, contrarios a los propuestos. La historia lo muestra con la elocuencia de ejemplos abundantes en el pasado y en el presente. Los cambios de verdadero calado se gestan en el seno de las sociedades, propiciados, en el mejor de los casos, por la acción templada de los poderes públicos. Frente al decenio cuyo balance está intentándose, mi impresión es que, entre errores y aciertos, la obra cumplida hasta ahora por los sucesivos gobiernos que han administrado en España los intereses colectivos es resueltamente positiva y, en su conjunto, muy satisfactoria.

Cuestión distinta —y menor— es la de las escaramuzas de los partidos políticos en su competencia por el poder. Será lícito en este terreno capitalizar, digamos, la imprudencia en que incurrió el partido socialista al prometer en su propaganda electoral la creación de una determinada cantidad de puestos de trabajo, poniendo en evidencia su incumplimiento.

Pero aunque esté mal prometer aquello que probablemente no va a poder cumplirse, nadie se engaña al respecto, pues todo el mundo sabe que en caso de desastre económico, igual que con las calamidades naturales, quien tuviera el remedio en su mano lo aplicaría desde luego.

Grave, sí, fue, en cambio, la promesa socialista de un referéndum sobre la permanencia de España en la OTAN, y es de suponer que, desde la instalación en la ética de las responsabilidades, la amarga penitencia implícita en ese pecado de irresponsabilidad habrá servido de duro escarmiento a quienes lo cometieron; tanto más cuanto que en ello hubo, no un mero error —que, paladinamente confesado, se perdona—, sino cierta malicia, un propósito de ser hábil jugando tan peligrosa baza. Lo da a entender así el que la negativa frente a la permanencia de España en la Alianza no se formulase al modo tajante y resuelto de una convicción firme, pues aun el slogan proclamado —recuérdese su texto— se hallaba concebido y redactado con reticente ambigüedad... Llevar a referéndum un asunto de tal naturaleza (aparte de que el referéndum no resulta ser el mejor instrumento de la democracia) es —reconozcámoslo —una iniciativa de pura demagogia. ¿Por qué no someter al voto de los particulares la abolición del servicio militar? ¿Por qué no preguntarles si no desean que se supriman los impuestos? Háganse encuestas para conjeturar cuál sería la respuesta mayoritaria.

De cualquier manera, es lo cierto que el cuerpo electoral no está preparado para pronunciarse sobre este asunto con conocimiento de causa. El problema en cuestión no ha sido sometido a una seria —ni siquiera a una superficial— discusión encaminada a permitir que se forme opinión pública al respecto, y parece demasiado injusto exigir a la gente —esto es, a cada ciudadano particular— que eche sobre sus hombros la carga de decidir sobre un asunto tan arduo y complejo, acerca del cual sólo ha oído apelaciones simplistas de impacto emocional. En el apurado trance a que se ha llegado, pienso yo que, si al fin se efectúa el referéndum, tanto el gobierno como también la oposición —pero el gobierno ante todo, naturalmente— tienen la obligación de abrir un debate a pecho descubierto y enterar a la gente de qué se trata, con todas las implicaciones y consecuencias previsibles de cada alternativa, para que el voto popular vaya ilustrado y no movido por el capricho frívolo, o más bien por los reclamos de la fácil demagogia.

Constitución y Fuerzas Armadas

Hemos estado celebrando en días pasados el aniversario de la Constitución. No ha sido este un onomástico en el que nadie pudiera gritar con exaltación *¡Viva la Pepa!*, ni la ocasión de proclamar con patética beligerancia *¡Constitución o muerte!* o entonar un *¡Trágala!*, pero tampoco debimos acceder al compuesto tedio de las habituales conmemoraciones oficiales. Los actos se han desarrollado con digna, fácil y alegre tesitura, según conviene a una constitución nacida —así lo subrayó un comentarista especialmente autorizado— como fruto de concordia entre todos los españoles.

En efecto, la Constitución vigente, cuyo texto podrá no ser un modelo admirable, nació *consensuada* (si esta palabra es de recibo; uno tiene sus escrúpulos gramaticales); y habiendo dicho *nació* (otra vez los escrúpulos) se me ocurre que mejor hubiese sido decir *ha nacido,* ya que ello fue cosa de ayer no más. Pues, ¿cómo es posible? ¿Sólo siete años hace que vivimos dentro de un régimen democrático? Tan asentada se encuentra ya esta Constitución, tan incorporada a nuestra existencia colectiva que, volviendo atrás la vista, no deja de causar un cierto asombro la brevedad del tiempo que tales instituciones se encuentran en vigor. Estamos instalados en ellas casi con la sensación de comodidad que presta una larga costumbre.

Y al volver la vista atrás, igualmente increíble y remotísima nos parece la intentona del 23-F, el frustrado golpe militar que quiso dar al traste con ellas. Tan lamentable episodio se pinta en nuestra imaginación como el recuerdo de un sueño grotesco, con la inverosimilitud de las más absurdas experiencias oníricas. A la fecha de hoy sentimos que semejante intentona jamás podrá volver a repetirse. Muy bien guardo en la memoria mis pensamientos de aquellas horas amargas. Calculando sobre la eventualidad de que el disparate en marcha pudiese alcanzar el grado de plena consumación no dejaba de anticipar en mi mente el panorama de perturbaciones destructoras y de humanos sufrimientos que sin duda acarrearía, pero a la misma vez consideraba la futilidad de la insensata empresa, dado que la sociedad española, en su crecimiento interno, tenía ahora una madurez que impediría prosperar, por brutal que fuera en sus métodos, el propósito regresivo. Destructoras perturbaciones y sufrimientos humanos hubieran resultado vanos a la postre. Eso pensaba yo, y creo que mis reflexiones de entonces no eran un recurso de penúltima esperanza en momentos de tribulación. Sigo pensando que, de un modo u otro, la sociedad española hubiera terminado por rechazar y eliminar aquel indigesto anacronismo que en postrer y desesperado coletazo trataba de imponerse. Y tal es la razón de que, retrospectivamente, lo veamos como cosa irreal y, desde luego, irrepetible.

Pero esto, dicho así, no pasa de ser la impresión que muchos tenemos. Convendría, pues, tratar de averiguar, mediante un examen de la situación objetiva que le da pie, lo que dicha impresión pueda tener de cierta o de engañosa.

Hace poco me he permitido exponer mi convicción de que el decenio recién transcurrido significa para los españoles la asunción de la realidad dentro de cuyo ámbito y a base de cuyos condicionamientos hemos de movernos y actuar en el mundo como cuerpo político, lo cual se ha cumplido en un rápido proceso de abandono de aquellos mitos, utopías y demás supersticiones que, no por serlo, dejaban de pesar y tener efecto, a veces demasiado gravosamente, sobre la imaginación colectiva. Si el 23-F fue (para emplear la siempre citada, pero insustituible frase de Goya) «el sueño de la razón» que «engendra monstruos», ese sueño estaba ligado en relación estrecha con otra fantasía de sentido opuesto, pero no por fantasía menos operante: la cifrada en la fórmula eufemística «poderes fácticos», que parecería desvanecida hoy, pues ya nadie teme al lobo feroz.

El lobo feroz era aquel militarismo residual de guerras coloniales que, por último, había traído Franco a la Península para, sometiendo a sus compatriotas en un juego de «moros amigos» y «moros rebeldes», eliminar de su suelo a la anti-España —un militarismo por completo ajeno a lo que es función de un ejército moderno, y ya absurdo entonces, en vísperas de la Segunda Guerra Mundial.

¿Cuál podrá ser la función de un ejército en la actualidad, cuando se discute sobre la eventual guerra de las galaxias en un planeta dominado por dos superpotencias atómicas? Hablar de la defensa del territorio nacional no es cosa que tenga sentido si ello hubiera de entenderse en los términos del siglo XIX. En las presentes condiciones resulta sencillamente inconcebible una guerra de España contra Francia, el Reino Unido o Portugal; y dada nuestra posición geográfica, tampoco sería pasable ni tolerada una guerra con Marruecos como la que sostienen entre sí Irán e Irak. En las presentes circunstancias, la «defensa del territorio nacional» no puede ser entendida en los términos del nacionalismo decimonónico.

En un planeta dominado por dos superpotencias atómicas que discuten sobre una eventual guerra de las galaxias sería ridículo hablar de la defensa nacional del territorio de la patria en el espíritu de nuestra Guerra de Independencia. Las armas desarrolladas por la nueva tecnología exigen una estrategia global; es una exigencia de la realidad a la que ninguno de los antiguos Estados soberanos podría sustraerse por más que quisiera.

Don Quijote, cuya locura consiste en creer hallarse no en su tiempo histórico sino en un mundo pretérito, y en atenerse a unos valores ya abolidos, lamenta en su famoso discurso de las armas y las letras «haber tomado este ejercicio de caballero andante en edad tan detestable como es ésta en que ahora vivimos; porque... me pone recelo pensar si la pólvora y el estaño me han de quitar la ocasión de hacerme famoso y conocido por el valor de mi brazo y filos de mi espada». Es un pasaje conocidísimo, en el que, antes, ha clamado el caballero andante contra la artillería, contra los nuevos instrumentos que habían revolucionado el arte de la guerra, alterando de paso las instituciones y relaciones de poder en la sociedad. Don Quijote deliraba en su demencia. Y deja bastante que pensar —entre paréntesis— la exaltación que de su locura (no tanto de la creación literaria de su autor) hizo la generación de 1898.

Las armas que la tecnología electrónica ha desarrollado, al requerir una estrategia global, no sólo han alterado a fondo las relaciones de poder en el mundo, sino que necesitan ser manejadas y servidas por un tipo de profesional con caracteres muy distintos de los tradicionales. El militar de sable y charreteras es una antigualla que, como las oxidadas armas de Don Quijote, ni siquiera vale para lucir en las paradas. Los ejércitos modernos han de estar formados por técnicos de quienes se espera —más que personal valentía, aunque ésta, como condición moral, no tanto física, sea siempre indispensable— que posean conocimientos especializados y condiciones de precisión y de disciplina mental.

Doy por supuesto que el Ejército español responde hoy a ese modelo, y que, cada día mejor preparado dentro de esa orientación, será apto por completo para cumplir su misión específica de defender el territorio nacional en la forma coordinada en que esa tarea debería cumplirse si, por desgracia, llegara a estallar un conflicto bélico y, en todo caso, contribuyendo con su preparación a evitar tan espantosa eventualidad.

Por eso me parece irrepetible —y entiendo que es una impresión muy generalizada en este país— un episodio semejante al de aquel 23-F. La Constitución, con sus instituciones democráticas, está bien afirmada entre nosotros.

El referéndum, consumado

En fin, el referéndum se llevó a efecto; y —como antes dije— esta vez no fueron los enemigos de la democracia quienes la pusieron en peligro, sino la actuación irresponsable de la llamada «clase política», en que cada partido anteponía lo que consideraba su conveniencia estratégica al interés común: el partido gobernante, empeñándose, por falsas razones de prestigio, en una iniciativa temeraria; los opositores, propiciando con su consejo de abstención la eventualidad de que prevaleciera en el voto popular un deseo mayoritario de abandonar la Alianza, en contra del criterio de todas las fuerzas representadas en el Parlamento y, por supuesto, de ellos mismos. Con lo cual se ponía a los ciudadanos particulares en el trance de decidir sobre una cuestión de Estado ajena a su competencia y conocimiento, mientras que los políticos, que al menos hubieran debido abrir una seria discusión pública de carácter informativo, lanzados ya por el camino de la insensatez, se entregaban apasionadamente a la más ridícula y desaforada demagogia.

La demagogia de quienes, bajo la inspiración directa del gobierno, propugnaban el voto afirmativo a su propuesta, consistía en exagerar los males que hubiera traído consigo un abandono de la Alianza, invocando de forma vaga e imprecisa, pero enfática, el interés patriótico, y haciendo hincapié en las limitaciones con que, según la propuesta del gobierno, se aceptaría la integración. Estas limitaciones delataban en verdad, tanto una mala conciencia por parte de dicho gobierno, como su deseo de persuadir a gentes que, como él mismo, pudieran considerar la pertenencia a la OTAN como un mal menor o necesario: de ahí su retórica de «razón» o «cabeza» en conflicto con el «corazón», retórica que en otros términos repetía el conflicto de una «ética de las responsabilidades» frente a la de las «ideologías», poco antes formulado por el Presidente. Estas «ideologías» no eran, en último término, sino la resaca de la lucha contra el régimen de Franco, en cuyo vacío sus detractores debieron echar mano para combatirlo de un arsenal de conceptos políticos obsoletos, que si todavía operaban en la preguerra, para nada correspondían ya en la posguerra a la realidad de nuestro tiempo. Ese arsenal de ideas inservibles, que los socialistas tuvieron que desechar melancólicamente tan pronto como asumieron las responsabilidades del poder público, es el mismo que, a la hora del referéndum, volverían a usar todavía los grupos —formados en su mayor parte por intelectuales— que con ruidosas apelaciones emotivas pidieron al votante anónimo que rechazara la adscripción de España a la OTAN. De veras, daba grima el espectáculo de reaccionaria retórica patriotera con que personas que se pretenden «de izquierdas» defendían esa supuesta soberanía nacional que, a la fecha de hoy, es —para España como para cualquier otro pueblo— un mero fantasma del pasado; o bien que —colocados en la luna— confundían los píos deseos con posibilidades efectivas, pensando quizá que le bastaría a España con declararse fuera del juego de la política mundial para que así su territorio quedara efectivamente neutralizado e inmune. Estas fáciles y simplistas postulaciones podían sin duda tener un fuerte atractivo para el común de las gentes; corresponden a los conceptos, ya anacrónicos, en que tradicionalmente se las ha educado; y así no es casualidad que a esos patrióticos «izquierdistas» se les unieran, para reclamar la salida de la OTAN, los remanentes del franquismo ideológico. Bien pudo temerse así —y bien lo temió el gobierno socialista— que su imprudencia de convocar el innecesario referéndum tuviera por resultado una crisis institucional acaso muy peligrosa para la subsistencia de la democracia.

A pesar de todo, la madurez alcanzada por el pueblo español salvó la arriesgada situación que su clase política le había creado: una sorprendente mayoría de votos vino a decidir la consulta a favor de nuestra permanencia en la Alianza. Y esta decisión popular venía a evidenciar que, con menos formación ideológica, pero con mayor percepción sensible, el español medio se encuentra dispuesto a asumir, instalado en la realidad del presente, su posible participación en la historia universal, al margen de la cual había estado situado durante siglos.

EL NUEVO TALANTE REACCIONARIO

Cuando, no hace mucho tiempo, se estrenó la película *Carmen,* de Carlos Saura, dediqué un demorado estudio a sus aspectos artísticos —interesantes y admirables para mí desde varios puntos de vista—, pero lo hice ciñéndome allí muy deliberadamente al orden de sus valores estéticos para evitar cualquier consideración de tipo sociológico y político que, de momento, me parecía no venir a cuento. Saura, cuya historia de creador cinematográfico lo sitúa en el terreno de la lucha «intelectual» contra el franquismo como autor de varios films que, mediante claves crípticas, apuntaban en esa dirección, había producido también, ya antes de *Carmen,* una versión coreográfica de las *Bodas de sangre* lorquianas que sólo por el nombre de Federico podía tener, aunque remota, una implicación tal; y ahora último, de nuevo con el mismo equipo de danza, un *Amor brujo* mucho menos logrado en cuanto obra de arte, y recibido por la crítica con poco entusiasmo.

Pues bien: uno de estos días pasados me ocupaba yo en presentar ante los alumnos de mi curso en la New York University sobre *Continuidad y cambio* el cuadro de la efectiva realidad actual de España, a fin de contrastarlo con los añejos y resobados estereotipos acerca de «lo español» que constituyen la imagen tópica de nuestro país; y puesto a hacer con dicho propósito un somero balance de algunos de los más notables productos culturales recientes, entre ellos esta transcripción gráfica de la obra musical de Falla, nos saltó al paso la observación de que, precisamente ahora, cuando —industrializada nuestra sociedad, e incorporada España a la Europa comunitaria y a la Alianza militar del Atlántico Norte— vivimos en plena democracia, están surgiendo sobre la vieja piel de toro creaciones tales, que parecerían intencionadamente encaminadas a reafirmar los manidos clisés románticos de «la España eterna», a convalidar la proverbial España de Merimée; esto es, aquella pintoresca España, tradicional y rural, en cuya contemplación han solido hallar deleite los ojos extranjeros y complacida confortación los indígenas afectados de ideológicas nostalgias.

¿Qué puede significar esto? ¿Es que está desarrollándose acaso en el seno de nuestra democracia un talante reaccionario? Fue primero el fenómeno del «desencanto». Aquella frase ingeniosa de entonces: «con*tra* Franco estábamos mejor», en réplica al *slogan* de los franquistas recalcitrantes que añoraban la era del Caudillo, resultó, en su autoironía, demasiado reveladora. Quienes habían combatido al régimen con denuedo, y muchas veces con sacrificios muy efectivos, pero (y esto era inevitable dado el prolongadísimo marasmo político en que ese régimen tuvo sumido al país) a base de utópicas postulaciones y con expectativas ilusorias, ahora, desaparecida la dictadura, se sentían defraudados —se sentían, diríamos, como estafados— ante una realidad que no respondía a lo que ellos se habían prometido en las gratuitas imaginaciones de una oposición forzada a la clandestinidad y privada de toda posible participación. Pero las fantasías del deseo son evanescentes, mientras que la realidad es siempre tercamente imperiosa e ineludible. Se extinguió, pues, la dictadura; se cumplió la transición con tacto y calculada audacia, y se estableció una constitución democrática que garantiza amplias libertades ciudadanas. Y enseguida vino lo que se llamaría el *destape,* tanto corporal como verbal. Durante el proceso de asentamiento de las nuevas normas de convivencia político-social pudieron oírse en efecto, y fueron atendidas desde el poder público, todas las demandas razonables y aun algunas que no lo eran tanto; pero, con eso y todo, una cosa era clara: la democracia no nos había trasladado al país de Utopía.

A nadie debe extrañar que ese fenómeno del desencanto se manifestara ostensiblemente —y quizá, por fortuna, exclusivamente— dentro de la que, en un sentido amplio, pudiera llamarse «clase intelectual». Entre los agravios que ésta tenía contra la dictadura figuraba, en primer término, la estúpida censura con que eran coartadas entonces las expresiones del pensamiento; pero también, en segundo lugar, su falta de interés por promover la cultura. La democracia ha venido a suprimir aquellas cortapisas, y ya cada cual puede, no sólo publicar cuantas obras geniales germinen en su mente, sino también soltar sin empacho todo aquello que pueda antojársele; y por otra parte el gobierno ha puesto en marcha una amplia política de fomento de la creación cultural, con multitud de alicientes diversos. Lo primero puede haberle ocasionado a más de uno cierta secreta amargura al privarle de la coartada que justificaba su infecundidad; pero ¿qué duda cabe de que la supresión de la censura del Estado anima en general las disposiciones creativas, y sobre todo de que semejante supresión es indispensable para la dignidad de la convivencia civil? En cuanto a la acción positiva del Estado para estimular la cultura, es ya motivo de menos seguro aplauso, pues desde luego no deja de presentar riesgos; y aun cuando en el caso de España no se haya incurrido en el peor de todos, que lo sería un posible intento gubernamental de ejercer el dirigismo, ha tenido sin embargo el efecto lamentable de introducir en ese campo —que es un yermo para impecunes eremitas con vocación ascética— las modestas tentaciones que conducen hacia la intriguilla mezquina en disputa del favor oficial, favor éste que, si no puede elevar la calidad de la producción intelectual y artística, puede aliviar al menos la penuria económica de algunos de entre quienes a ella se dedican.

Pero, junto a estas justas satisfacciones, la normalización democrática de nuestra existencia colectiva le ha sustraído a la clase intelectual, dejándola un tanto desorientada, el que fuera su gran objetivo y preocupación obsesiva: la lucha contra el régimen, ya que el ahora vigente es aceptado sin excepción notable por todos los miembros de nuestro distinguido estamento. Y aunque no falte quien, empecinado en la costumbre, se muestre, *a priori* y para no variar, dispuesto a declararse en contra de todo lo que sea, no importa qué, parecería prevalecer más bien entre nosotros una actitud de indiferente o hastiado despego hacia la realidad —una realidad áspera y dura, que difiere mucho de la soñada Utopía—. En lugar de enfrentarnos con mirada fresca a los pavorosos problemas del mundo actual, que nos afectan a los españoles tanto como al resto de la humanidad, para tratar de comprenderlos y asumirlos, nos abandonamos, también por inercia, a vagas actitudes de añoranza, que de hecho se hacen manifiestas en muy varios niveles, desde las ínfimas evocaciones con que la televisión suele obsequiarnos cada semana hasta creaciones artísticas muy respetables como, por ejemplo, esas películas de Saura a que comencé haciendo referencia. Lo cual, según yo lo veo, puede ser una manera de buscar refugio contra la intemperie; un deseo de acogerse, por pereza mental o miedo, a periclitadas formas de pensar y de entender nuestra instalación en el universo.

Dejando aparte otras recaídas facilonas en el casticismo —que no hará falta señalar en concreto, pues abundan con exceso y son demasiado visibles por doquiera—, el penoso espectáculo ofrecido al pueblo español, en ocasión del pasado referéndum sobre la OTAN, por sus intelectuales y políticos (la llamada clase política es en definitiva contigua y afín a la intelectual) ha sido, a decir verdad, no poco significativo al respecto. Si hubo en la previa campaña algunas escasas tentativas de aclarar el verdadero alcance de la cuestión planteada y de examinar en serio las consecuencias de la decisión a adoptar, debieron perderse, ahogadas en una algarabía de gritos emocionales cuyo fondo común no era sino la rancia e inoperante ideología del nacionalismo decimonónico, entregados unos y otros contendientes a una absurda competición de invocaciones patrioteras poco o nada relacionadas con los efectivos términos del problema. A falta de un nuevo equipo de instrumentos conceptuales con los que dar razón del mundo actual, tanto los defensores de la permanencia en la Alianza como sus adversarios coincidieron —increíblemente— en apelar como supremo argumento al principio de soberanía nacional, un principio político cuya validez histórica había cancelado ya, hace cuarenta años, la Segunda Guerra Mundial. Esa recaída retórica en conceptos vacíos de contenido real pudiera bien ser otro síntoma más, aunque éste por cierto en materia de gravedad suma, del fútil talante reaccionario que parece advertirse en el seno de nuestra democracia.

Verdad es, sin embargo, que la mayoría de la gente anónima a la hora de votar mostró, tal vez más por intuición que por discernimiento, tener los pies firmemente apoyados sobre la tierra. Eso era lo que me hizo sugerir al comienzo que el fenómeno de aquel desencanto, nacido por efecto de un inevitable desarme ideológico y traducido a la postre en actitudes reaccionarias, quizá se encuentra reducido a los grupos sociales dirigentes capaces de darle ruidosa expresión verbal, mientras que la multitud del pueblo llano sigue manteniendo en silencio el talante abierto, sensato y esperanzado que permitió efectuar en su día de manera ejemplar la transición desde la dictadura a la democracia, y que con igual ejemplaridad ha continuado evidenciándose hasta el de hoy en comicios sucesivos.

CLAUSURA (QUIZA PREMATURA) DEL CURSO

¿Cuáles podrán ser a la postre las conclusiones de todo lo expuesto? A lo largo del curso sobre *Continuidad y cambio en la sociedad española,* he procurado dar a mis estudiantes de la New York University alguna idea acerca de cómo vino a formarse la imagen convencional de España, de qué elementos hubieron de integrarla, en qué hechos reales se basaba y qué prejuicios y falsas interpretaciones la terminaron de perfilar; y al mismo tiempo me he esforzado por saltar desde esa imagen convencional hasta la realidad de hoy, hasta la actualidad de nuestro país, cuya sociedad, aunque todavía siga exhibiendo de vez en cuando, acá y allá, los pintorescos floripondios de un supuesto casticismo, es una sociedad plenamente moderna, reinstalada por fin en la historia, con todas las ventajas y también todos los inconvenientes inherentes e ineludibles cuando se vive una vida auténtica, y no ya enajenada.

Hasta aquí hemos llegado, y aquí paramos. Se me acabó el tiempo disponible, y mi curso quedó un tanto deshilvanado. Suele acabarse el tiempo antes de completar las tareas, y pocas cosas en la vida resultan al fin atadas y bien atadas. Pensó el providente Franco que dejaba todo atado y bien atado en España, y ¡ya se ha visto! En cuanto a mi proyecto académico o docente, nunca pensé que pudiera conducir a ninguna especie de tratado metódico. No era ésa mi intención, ni quizá hubiera tenido yo a estas fechas ánimo para acometer empresa semejante. Mi intención fue tan sólo la de sacudir ideas preconcebidas, destruir falsos conceptos y estimular a un grupo de personas jóvenes que desde la distancia miraban con interés a este país nuestro que ahora estaba ofreciendo a la observación ajena perfiles inesperados; que daba al mundo una paradójica sorpresa: la sorpresa de su «normalidad».

Creo que los diversos modos de abordar la realidad de su cambio que desde el comienzo propuse a mis estudiantes resultaron de veras incitantes para ellos. Así podía leerlo cada día en sus expresiones, que pasaban con frecuencia desde la extrañeza al reconocimiento, y así me lo confirmaron por último paladinamente algunos de ellos. Tal vez contribuyó a este resultado la forma abierta y tentativa en que, con diversos enfoques, abordé los principales temas, sin incurrir en la pretensión de agotar ninguno.

Por eso me atrevo a publicar ahora esta colección —deshilvanada también— de los papeles que utilicé en el curso. Prefiero presentarlos así, en su inmediatez, en lugar de zurcir —como muy hubiera podido— los diversos parches y piezas para pergeñar con retazos una confección más compuesta, pero —sería de temer— más aburrida, dejando así que cada cual saque las conclusiones que mejor le parezca.